Roland Schaer,
agrégé de
philosophie, a dirigé
de 1985 à 1994
le service culturel
du musée d'Orsay
à Paris, enseignant
également à l'Ecole
du Louvre, où il
assurait un cours sur
l'histoire des musées.
Il a été directeur
du développement
culturel de la
Bibliothèque nationale
de France. Il est
aujourd'hui directeur
Sciences et Société
à la cité des Sciences
et de l'Industrie.

Pour Carmen

*1er dépôt légal : octobre 1993
Dépôt légal : avril 2002
Numéro d'édition : 12938
ISBN : 2-07-053230-5
Imprimerie IME, France*

L'INVENTION DES MUSÉES

Roland Schaer

DÉCOUVERTES GALLIMARD
RÉUNION DES MUSÉES NATIONAUX
HISTOIRE

Dans le dix-septième livre de sa *Géographie*, Strabon trace un tableau d'Alexandrie au début de notre ère. Il décrit l'immensité des palais royaux construits par la dynastie des Ptolémées depuis la fin du IVe siècle, et c'est dans leur enceinte qu'il situe le Mouseion, «avec ses portiques, sa salle de colloque, et son vaste cénacle où sont servis les repas que les savants membres du Musée prennent ensemble.»

CHAPITRE PREMIER
DES MUSES AUX MUSÉES

Si l'idée de musée se forme peu à peu de la Renaissance au siècle des Lumières, cette «invention» est aussi une manière de renouer avec l'Antiquité, comme en témoignent ces deux «fantaisies» antiquisantes du XVIIIe siècle (page de gauche et ci-contre) : célébrer son art, étudier son histoire, enfin rivaliser avec elle en restaurant une institution créée à l'époque hellénistique.

L e rêve de Ptolémée
était de rassembler
dans sa bibliothèque
«les livres de tous les
peuples de la terre».
Il y eut, dit-on, jusqu'à
500 000 rouleaux de
papyrus rangés sur les
étagères.

O n a cru longtemps
– peut-être à tort –
que la bibliothèque
(dont on voit ci-dessous
le site supposé) avait
été ravagée par
l'incendie que César
avait déclenché en
enflammant les
bateaux ennemis dans
le port d'Alexandrie
en 48 av. J.-C.

«Ce collège d'érudits philologues, poursuit Strabon,
dispose de ressources communes, administrées par
un prêtre, que les rois désignaient autrefois, que César
désigne à présent.» Ce texte est le premier
témoignage direct de ce que fut le Musée
d'Alexandrie : une communauté de savants
pensionnés par le mécénat royal, c'est-à-dire
dispensés des soucis de l'existence pour se consacrer
à l'étude, et qui a gardé de ses origines un caractère
religieux.

On ne dispose quasiment d'aucune indication pour
dire qui furent les membres du Musée. On peut
simplement supposer qu'une bonne partie des érudits
et savants qui ont fait d'Alexandrie le principal foyer
intellectuel de la période hellénistique ont eu
des liens avec cette institution, qu'ils aient été
mathématiciens, astronomes, géographes,
philologues ou poètes.

Il est probable que la fameuse bibliothèque fut, au
même titre que les jardins botanique et zoologique,
l'observatoire astronomique ou le laboratoire
d'anatomie, un royal instrument de travail à la
disposition des pensionnaires du Musée : c'est
à Alexandrie que la philosophie, c'est-à-dire la
recherche du savoir, qui passait auparavant par la

Strabon (à gauche) fut le premier chroniqueur du Musée, Aristote (au centre) en fut l'inspirateur. Archimède (à droite), l'ingénieur de Syracuse, y séjourna et échangea des correspondances avec les mathématiciens d'Alexandrie.

discussion sur la place publique, devient avant tout l'étude des textes et l'observation de la nature.

Sous le signe d'Aristote

C'est sans doute à l'école d'Aristote que les premiers Ptolémées empruntent l'idée du Musée. Vers l'année 307, Démétrios de Phalère, tyran d'Athènes chassé de sa cité, vient se réfugier à Alexandrie et devient conseiller du roi Ptolémée Sôter. A Athènes, il avait été le principal protecteur du Lycée, l'établissement fondé par Aristote.

Quelques années plus tard, vers 300 avant J.-C., Sôter fait venir d'Athènes un autre disciple d'Aristote, le physicien Straton de Lampsaque, pour en faire le tuteur de son fils, le futur Philadelphe, comme Philippe de Macédoine avait appelé Aristote pour assurer l'éducation de son fils Alexandre.

Inspirateurs du Musée et de la bibliothèque, Démétrios et Straton transposent à Alexandrie,

Lieutenant d'Alexandre, Ptolémée Ier, appelé «le Sauveur», a régné sur l'Egypte de 323 à 282 av. J.-C.

Les neuf muses sont filles de Zeus et de Mnémosyne, la Mémoire (à gauche). Inspiratrices des poètes et des savants, elles président chacune à une activité créatrice : Calliope à la poésie épique, Clio à l'histoire, Euterpe à la poésie lyrique, Polymnie à l'hymne, Erato à la poésie amoureuse, Thalie à la comédie, Melpomène à la tragédie, Uranie à l'astronomie, Terpsichore à la danse. Il n'y a pas de muse pour les arts plastiques, la peinture et la sculpture ayant longtemps été considérées comme des savoir-faire artisanaux. C'est au cours d'un long processus, aux XVIᵉ et XVIIᵉ siècles, que ces disciplines se hissent à la dignité des arts libéraux : le musée est leur revanche.

pour en faire des institutions officielles, les principes qui animaient le Lycée d'Aristote, et, au-delà, l'Académie de Platon : ceux d'une communauté exclusivement consacrée à la recherche du vrai, c'est-à-dire au culte des Muses.

Les humanistes, des collectionneurs d'antiquités

La pratique des collections ne naît pas avec la Renaissance. Les «trésors» des temples anciens et des églises médiévales, ceux que réunissent des princes à titre de réserves de matières précieuses, préfigurent le collectionnisme moderne. Mais celui-ci se développppe véritablement du XVᵉ au XVIIIᵉ siècle

à travers l'Europe, touchant aussi bien prélats, courtisans, médecins, juristes, savants, artistes, princes ou monarques.

Les humanistes recherchent d'abord les vestiges de l'antiquité romaine. Objets d'un véritable culte, les traces matérielles laissées par la Rome classique prennent une immense valeur. On se soucie de leur conservation; les entreprises archéologiques se multiplient, fouilles ou relevés topographiques, et, en 1462, le pape Pie II interdit la réutilisation,

Les historiens grecs Pausanias et Strabon situent la naissance d'un culte rendu aux Muses en Piérie, aux confins de la Thessalie et de la Macédoine, où elles étaient honorées sous leur forme primitive de nymphes des montagnes et des sources. Les Béotiens leur consacrèrent un canton autour du bois sacré du mont Hélicon. Là, du IIIe au Ier siècle av. J.-C., se tenaient tous les cinq ans les fêtes des Mouseia, concours musicaux et poétiques réputés dans tout le monde hellénique. D'autres localités sacrifiaient aux Muses : Delphes, où le culte d'Apollon «musagète» était associé à celui de ses compagnes; Athènes, où les noms d'Hélicon et de Mouseion furent donnés à deux collines.

pour les constructions neuves, de matériaux tirés des monuments anciens, pratique jusque-là courante.

Dans ce contexte, en même temps qu'ils étudient les manuscrits et redécouvrent les auteurs de la littérature latine, les érudits collectionnent ce qu'on appelle des «petites antiquités» : inscriptions, objets usuels ou précieux, fragments de sculpture, et surtout médailles et pierres gravées. Ces objets sont considérés par les humanistes comme des illustrations originales des textes, ils donnent figure aux personnages, aux décors ou aux événements qu'évoquent les manuscrits.

C'est ce souci de restitution historique qui animait des hommes comme le bibliophile florentin Niccolo Niccoli, conseiller de Côme l'Ancien de Médicis, dont on dit qu'il s'habillait à l'ancienne et mangeait dans de la vaisselle antique, ou le voyageur et marchand Cyriaque d'Ancône, qui arpentait les sites anciens pour «ressusciter les morts», ou encore l'infatigable découvreur de manuscrits que fut Poggio Bracciollini, dit le Pogge. Ils sont les initiateurs d'une longue tradition, celle des antiquaires et des historiens de l'Antiquité : le «cabinet des médailles», en général disposé dans la bibliothèque, deviendra, en particulier au XVIIe siècle, une composante obligée d'innombrables collections.

La chasse aux statues...

Bien vite, dans des villes comme Florence, Rome ou Mantoue, le prestige qui s'attache aux «antiquailles» devient tel que la passion collectionneuse touche bien d'autres personnes que les seuls érudits. Les princes enrichissent leurs «trésors» dynastiques, c'est-à-dire leurs réserves, de pièces d'orfèvrerie

Explorateur des bibliothèques des monastères italiens, germaniques ou anglais, Le Pogge (1380-1459) exhuma les œuvres de Cicéron, Quintillien, Lucrèce, Plaute... Mais il fut aussi l'un des premiers collectionneurs de bustes et d'inscriptions romaines.

Les médailles sont en fait des monnaies antiques, portant au droit une tête ou une effigie – en général, celle du souverain régnant – et au revers des représentations commémorant un événement politique, évoquant un monument ou un rite.

LE GRAND CABINET ROMAIN.

L a vogue des médailles s'est amplifiée en particulier au XVIIe siècle, au point qu'un tiers des amateurs en possédaient une collection. Le cœur de ces collections, ce sont les «suites impériales», c'est-à-dire les séries de médailles en or éditées par les empereurs romains. En France, le grand spécialiste est Charles Patin, qui publie en 1665 son *Introduction à l'Histoire par la connaissance des médailles*. A la fin du siècle, Louis XIV (ci-contre le frontispice du catalogue royal de 1706) possédait une suite impériale d'or de près de 1 400 pièces.

Découvert le 14 janvier 1506 près de Sainte-Marie majeure, le groupe du Laocoon suscite d'emblée une immense admiration. Jules II l'achète après avoir sollicité l'avis de son architecte Sangallo et de Michel-Ange, puis le fait installer dans une «petite chapelle» de la cour du Belvédère. Son prestige vient de ce qu'il est mentionné par Pline l'Ancien, qui le tient pour «la plus digne d'admiration de toutes les sculptures». Ses qualités plastiques et expressives ont inspiré une littérature considérable.

anciennes, comme Laurent de Médicis, l'un des acheteurs les plus acharnés.

Mais, à la fin du XVᵉ siècle et dans la première moitié du XVIᵉ, ce sont les statues exhumées du sol de Rome qui suscitent les plus âpres compétitions entre les riches familles aristocratiques. Médicis, Borghèse, Farnèse se les arrachent, et les disposent dans leurs palais ou les jardins de leurs «villas». C'est pour les exposer que le pape Jules II fait construire par son architecte Bramante une cour plantée d'orangers près de la villa du Belvédère.

Les plus belles d'entre ces sculptures, parce qu'elles incarnent la supériorité artistique de la civilisation antique, sont appelées à devenir, pour trois siècles, les modèles du Beau. C'est dire que désormais la valeur d'une pièce de collection tient à sa qualité

Du XVIᵉ au XIXᵉ siècle se développe l'édition de recueils de gravures inspirées des statues canoniques, comme l'Hercule Farnèse (à droite). Ces recueils forment le noyau de la tradition académique. Ainsi, en 1683, Gérard Audran publia à Paris une anthologie intitulée *Les Proportions du corps humain d'après les plus belles figures de l'Antiquité*, qui joua le rôle de manuel d'anatomie artistique.

artistique, et plus seulement à son ancienneté ou au prix de sa matière.

Le roi de France, «veuf de son rêve, l'Italie»

La passion de la sculpture antique franchit rapidement les frontières italiennes. En 1528, François Ier entreprend l'aménagement d'un pavillon de chasse à Fontainebleau. Il veut en faire une «Rome du Nord». Il s'attache très vite les services de plusieurs artistes italiens, parmi lesquels le Primatice. C'est ce dernier qu'il envoie à Rome, en 1540, puis à nouveau en 1545, avec mission de lui procurer des statues antiques. En fait, le Primatice ne se contente pas de procéder à quelques achats : il fait réaliser des moules des statues les plus célèbres, pour en faire des répliques en bronze, qui orneront les galeries de Fontainebleau. La plupart des cours d'Europe, à commencer par celles de Bavièr d'Angleterre e d'Espagne, su l'exemple d de France.

A Côme, le premier musée d'histoire

Médecin de formation, ecclésiastique de profession et courtisan de vocation, Paolo Giovio est un historien humaniste. En 1550, âgé de soixante-sept ans, l'année même où son ami Vasari publie ses *Vies*, biographies d'artistes et premier ouvrage d'histoire de l'art, Paolo Giovio fait paraître l'œuvre de trente années de travail, les quarante-cinq livres d'*Histoires de son temps* : ce sont les biographies des contemporains illustres, conçues sur le modèle des grands hommes de l'Antiquité. Or, de la même façon que les humanistes rassemblaient les médailles représentant les portraits d'empereurs et en faisaient des éditions gravées, Giovio avait entamé, dès les années 1520, une collection de portraits peints, les uns originaux, les autres copiés à partir de médailles, de bustes ou d'autres documents. Sa collection finit par atteindre quatre cents pièces, classées par Giovio lui-même en quatre catégories : philosophes et hommes de lettres morts; savants et lettrés vivants; artistes; prélats, souverains et hommes d'armes. Pour chacun, l'historien confectionne une courte notice, dont il publie le recueil en 1546, sous le titre d'*Elogia veris clarorum virorum imaginibus apposita*. Ce sont les «cartels» de sa collection.

De 1537 à 1543, Paolo Giovio fait construire à Borgo Vico près de Côme, sa ville natale, une maison spécialement destinée à abriter l'ensemble de ses collections, formées surtout d'antiques et de médailles. Par amour de l'antique, il consacre les différentes salles à des divinités romaines; l'une d'elles sera naturellement dédiée aux Muses et à Apollon : il l'appellera «musée». Le mot était déjà utilisé par les humanistes, en souvenir d'Alexandrie, pour désigner un lieu consacré à l'étude et aux discussions savantes. Avec Giovio, la collection y prend place, et c'est finalement dans ce *museo* qu'il dispose ses portraits.

Au début du XVIIᵉ siècle apparaît à Anvers un genre pictural singulier, inauguré par Frans Franken le Jeune et Jan Bruegel de Velours, et cultivé ensuite par de nombreux artistes flamands : la peinture de cabinets, représentation à la fois descriptive et allégorique des lieux de collections. Ce phénomène reflète l'extraordinaire développement du collectionnisme dans cette ville florissante, où il est encouragé par les Habsbourg.

Anvers est le premier marché de l'art, et peu à peu la collection de peintures y prend son autonomie par rapport aux collections encyclopédiques, aussi bien dans les milieux aristocratiques que bourgeois (ci-contre).

La collection de portraits d'hommes illustres de Paolo Giovio a connu une postérité considérable. Catherine de Médicis en fit installer 340 dans une galerie de son hôtel, Henri IV aménagea la Petite Galerie du Louvre de 22 portraits en pied des rois et reines de France. La galerie de portraits devient un décor architectural classique des châteaux du XVIIᵉ siècle. Au XIXᵉ siècle, celle commandée par Louis-Philippe pour Versailles en 1837, ou le musée national des portraits de Londres, sont de lointains héritiers du «Jove».

La culture de la curiosité

A partir de 1550 se répand à travers l'Europe une autre forme de collection : le cabinet de curiosités, appelé aussi dans les pays germaniques *Kunst und Wunderkammer*, chambre d'art et de merveilles. Le modèle en est donné, dans la seconde moitié du XVIᵉ siècle, par les princes de l'époque maniériste, François Iᵉʳ de Médicis à Florence, l'archiduc Ferdinand dans son château d'Ambras au Tyrol, l'empereur Rodolphe II à Prague, Albert duc de Bavière... A côté des antiquités et des pièces historiques, ils rassemblent de nouveaux types d'objets : curiosités naturelles, ou artificielles, raretés exotiques. Fossiles, coraux, «pétrifications», fleurs ou fruits venus des mondes lointains, animaux monstrueux ou fabuleux, objets virtuoses d'orfèvrerie ou de joaillerie, pièces

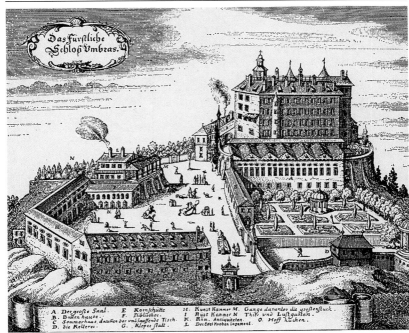

Das Fürstliche Schloß Umbras.

A. Der große Saal.
B. Dom häuse.
C. Sommerhaus, dauñen der vmblauffende Tisch.
D. die Kellerei.
E. Kornschütte.
F. Bibliothec.
G. Kleper stadt.
H. Kunst Kammer.
I. Rüst Kammer.
K. Röm. Antiquiteten.
L. Drei Edel Knaben logement.
M. Gange datunter die großenstuck.
N. Thür vnd Luftgaiston.
O. Hoff küchen.

ethnographiques ramenées par les voyageurs, toutes les bizarreries de la création sont réunies, pour que le collectionneur ait à portée du regard ce qui vient des confins du monde connu, et à quoi il attribue souvent des pouvoirs magiques.

«Theatrum Mundi...»

Les souverains collectionneurs cherchent, en fait, à reconstituer, dans l'enceinte de leur cabinet, un microcosme, un lieu d'émerveillement, de contemplation, de méditation. Samuel Quiccheberg, un médecin flamand, conseiller artistique du duc de Bavière, qui a écrit en 1565 un traité sur la manière d'organiser une telle collection, la définit comme «un très vaste théâtre embrassant les matières singulières et les images excellentes de la totalité des choses».

Du *studio* à la *Kunstkammer*, apparaît un type architectural et décoratif. Isabelle d'Este, imprégnée

Fils de l'empereur Ferdinand Ier, l'archiduc Ferdinand du Tyrol installa au château d'Ambras (ci-dessus), à partir de 1563, une immense collection de curiosités. Les salles contenaient un ensemble de portraits, ainsi qu'une importante collection d'armes et d'armures.

Dans les *Historiae animalium* de Conrad Gessner, les planches sont regroupées en volumes séparés. A droite, un hérisson extrait des *Icones quadrupedum* (1553).

d'humanisme et avide d'antiquités, devenue marquise de Mantoue en 1490, avait aménagé son univers personnel dans le château des Gonzague : près du «jardin secret», un *studiolo*, qui menait à la *grotta*, deux pièces où elle se retirait pour jouir de ses trésors. Pour le décor, elle avait fait appel au Pérugin, à Mantegna et à son élève Lorenzo Costa.

Les collections d'Isabelle n'étaient encore formées que d'antiques; celles de François Ier de Médicis sont encyclopédiques, constituées d'œuvres d'art, de curiosités naturelles, exotiques, antiques et historiques. Dans les années 1570, il les dispose dans un studio à l'atmosphère nocturne, dont le décor figure les mille analogies secrètes qui traversent le monde, allégorie sans doute inspirée par un livre étrange paru en 1550, traité de mnémotechnique et système encyclopédique, l'*Idea del Teatro* de Giulio Camillo.

A Munich et à Prague, ce sont des bâtiments autonomes qui sont construits pour accueillir les curiosités : Albert V, Electeur de Bavière, fait élever, à partir de 1563 pour sa *Kunstkammer*, une construction carrée, formée de quatre galeries à arcades, organisées autour d'un cloître central, formule qui deviendra typique du musée d'art; de plus, le bâtiment prend place dans un ensemble grandiose, qui comprend également les salles du «trésor», une bibliothèque et le fameux Antiquarium, qui abrite la collection de statues romaines.

Cabinets savants et modèles techniques

Toutes les collections n'ont pas cette dimension encyclopédique, ni cette visée cosmologique.

Isabelle d'Este (1474-1539) originaire de Ferrare, fit de Mantoue, patrie de Virgile, l'un des centres artistiques les plus actifs d'Italie. Elle chargeait ses correspondants, comme Sabba de Castiglione ou Lorenzo da Pavia, de saisir toutes les occasions d'enrichir à bas prix sa collection.

Le père jésuite Athanase Kircher rassemblait au Collegio romano une immense collection de curiosités fournies par les missionnaires de son ordre. Tirée de sa *China illustrata*, parue en 1667, cette représentation d'un roi tartare.

RITRATTO DEL MVSEO DI
FERRANTE IMPERATO

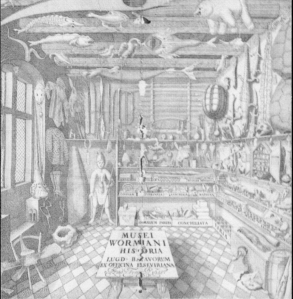

Ces quatre cabinets d'histoire naturelle furent parmi les plus célèbres dans l'Europe du XVIIe siècle. Leurs propriétaires en publièrent des descriptions, sortes de catalogues destinés à la fois à en faire valoir les richesses et à prendre parti dans les controverses savantes. Chez Cospi, riche collectionneur de Bologne (en haut à gauche), le cabinet de singularités sert avant tout au prestige social de son propriétaire. En revanche, Calzolari, apothicaire de Vérone (en haut à droite) et Ferrante Imperato à Naples (en bas à gauche) se souciaient avant tout de réviser l'héritage scientifique de l'Antiquité afin de perfectionner la pharmacopée. De même, Ole Worm, naturaliste de Copenhague (en bas à droite), critiqua, dans son catalogue de 1665, bon nombre de croyances attachées aux curiosités naturelles, assurant en particulier que les prétendues «cornes de licornes» étaient en fait des dents de narval.

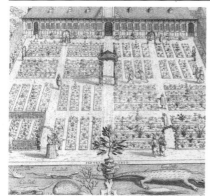

De nombreux cabinets d'histoire naturelle ont pour
principale vocation l'étude des plantes, des minéraux
et des animaux à des fins médicales et
pharmaceutiques. Parmi les plus célèbres, celui de
Conrad Gessner, médecin de Zurich, auteur d'une
immense *Histoire des animaux* et spécialiste des
fossiles, celui d'Ulisse Aldrovandi, professeur de
«philosophie naturelle» à l'université de Bologne, qui,
en 1603, lègue sa collection à la ville pour qu'elle
puisse servir aux travaux de l'université, ou celui de
Michele Mercati, apothicaire du pape et garde du
jardin botanique du Vatican.

Même si ces cabinets restent marqués par le goût
des singularités, ils sont destinés à accueillir toutes
les espèces sans exception, même les plus ordinaires :
leurs propriétaires entendent pouvoir étudier tous les
végétaux connus, cultivés dans les jardins, séchés
dans les herbiers ou reproduits, souvent par de brillants
artistes, sur des «vélins»; en ce sens, ces cabinets de
curiosités préfigurent les grands développements des
sciences naturelles au XVIIIe siècle.

Un autre cas particulier, le cabinet de l'Electeur de
Saxe. Dans cette région minière et déjà pré-
industrielle, l'Electeur Auguste rassemble à Dresde,
entre 1560 et 1586, une collection principalement
composée d'outils et d'instruments scientifiques,
destinée à perfectionner les métiers en faisant
connaître aux visiteurs procédés et innovations

L'université de
Leyde, qui
accueillit Descartes et
édita le *Discours de la
méthode* en 1637, fut
l'une des plus réputées
d'Europe. L'Hortus
Botanicus, créé par
Clusius, était une
collection vivante
de plusieurs milliers
d'espèces. Au premier
étage de l'ancienne
église des béguines
voilées, à côté de la
salle d'escrime, on
avait aménagé dès 1595
une bibliothèque et un
«théâtre d'anatomie»,
où les collections
de squelettes étaient
mises en scène à
des fins à la fois
scientifiques et
morales.

techniques. Ce cabinet aura pour descendants les musées des techniques qu'on verra apparaître à la fin du XVIIIe siècle.

Un phénomène social largement diffusé

Au XVIIe siècle, le goût des curiosités se diffuse en Europe. Les types de collectionneurs se multiplient et se recrutent dans des milieux nouveaux. Ainsi, le Midi de la France regorge de collectionneurs médecins, avocats ou magistrats, comme le bordelais Pierre Trichet, les avocats au parlement d'Aix que sont Borilly, Rascas de Bagarris et le célèbre Fabri de Peiresc, ou comme Pierre Borel, le médecin de Castres. A côté des souverains brillants, des princes philosophes ou des savants érudits, se détache la figure de l'«amateur» : Ferdinando Cospi, grand collectionneur de Bologne, présente sa collection comme «un passe-temps de jeunesse».

De fait, le prestige des raretés fait de la collection un moyen de reconnaissance sociale; on publie des guides et des itinéraires, on fait visiter sa collection par les voyageurs de passage, on édite des catalogues pour la faire connaître, on cherche à attirer les visiteurs de marque pour asseoir sa notoriété. En 1622, Boniface Borilly, collectionneur d'Aix-en-Provence, reçoit la visite de Louis XIII; celui-ci lui fait don du baudrier de son sacre, et Borilly devient conseiller et secrétaire ordinaire de la Chambre du roi.

Amateur de curiosités, mais aussi de livres et d'instruments de musique, Pierre Trichet raconte qu'il s'est mis à collectionner pour se consoler d'avoir épousé une femme acariâtre.

TRICHET *ton Cabinet son portrait et son livre, m'despit de la mort, te pourront faire Vivre.*

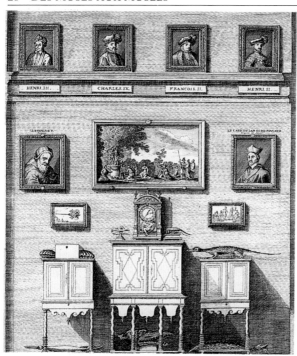

Le père Claude du Molinet, procureur de l'ordre des Génovéfains, a laissé une description illustrée du cabinet installé par lui dans la bibliothèque de l'abbaye de Sainte-Geneviève de 1675 à 1687(ci-contre). Sous la corniche ornée d'une série de portraits des rois de France, des armoires, les «cabinets», contiennent les médailles et les curiosités naturelles; sur les tablettes sont disposées les pièces les plus intéressantes.

L'Art devient la plus haute valeur

Avec le XVIIe siècle, ce qui donne le plus de prix à une collection, ce sont les chefs-d'œuvre de la peinture et de la sculpture. Dès les années 1580, François Ier de Médicis réaménage ses collections de Florence dans la galerie des Offices, et met en valeur peintures et sculptures dans la Tribuna de marbre.

Le marché se développe, du sud de l'Europe vers le Nord, et alors que depuis longtemps on achetait ou commandait aux artistes vivants, à partir de la fin du XVIe siècle les collectionneurs fortunés s'intéressent aux œuvres des artistes morts, dont la valeur s'accroît. Du coup, on assiste à de spectaculaires transferts de collections, qui mettent en émoi les cours d'Europe. L'exemple le plus fameux est celui de la collection des ducs de Mantoue. Entre

1550 et 1612, Guillaume et Vincent Iᵉʳ avaient rassemblé un extraordinaire ensemble de chefs-d'œuvre, où étaient représentés, outre Mantegna, Bellini et le Corrège, Léonard de Vinci, Michel-Ange, Titien, Véronèse, Tintoret, Rubens, Caravage... Mais la ruine menace les fastes de la cour des Gonzague. En 1627, leurs successeurs cèdent au roi d'Angleterre Charles Iᵉʳ l'essentiel de la collection, qui sera disséminée après l'exécution de ce dernier. Parmi les acheteurs, Philippe IV roi d'Espagne, Christine de Suède, le cardinal de Mazarin et le banquier Jabach, à qui Colbert rachètera sa collection : le 11 mars 1671, Jabach cède au Cabinet du Roi 101 tableaux et 5 542 dessins pour 220 000 livres. C'est ainsi qu'au gré des fortunes et des ruines, *L'Homme au gant* de Titien, ou *La Mort de la Vierge* du Caravage achèvent leur périple au Louvre.

Directeur de la Compagnie des Indes orientales, «Jabach le Banquier», ami de Mazarin, eut une passion particulière pour les dessins. A la suite d'une description de sa propre collection, l'abbé de Marolles, autre grand collectionneur, ajoutait : «L'on en voit beaucoup plus chez le libre Iabac / Enrichi du pays d'où nous vient le tabac / Comme pour ses dessins tous ses soins sont fidèles. »

Mazarin fut l'un des plus grands collectionneurs du XVIIᵉ siècle. Dès qu'il acquit l'hôtel de Chevry-Tubœuf (aujourd'hui partie de la Bibliothèque nationale), il fit construire le long de la rue Vivienne deux galeries superposées dont il confia la décoration à Romanelli. La gravure de Van Schuppen met l'accent sur son goût des statues et des bustes antiques.

Le 21 mai 1683, à l'occasion de la visite que le duc d'York, le futur roi d'Angleterre Jacques II, rend à l'université d'Oxford, est inauguré en grande pompe un nouveau bâtiment construit à proximité du Sheldonian Theater, et qui porte à son fronton un triple nom : Musaeum Ashmolianum, Schola Naturalis Historiae, Officina Chimica.

CHAPITRE II

DIFFUSER LES LUMIÈRES

Au moment où commencent à s'ouvrir des musées publics, la tradition de la curiosité est de plus en plus vivement critiquée : d'abord au nom de la «vanité» de l'accumulation de choses terrestres, comme dans cette armoire à bijoux du peintre Johann Georg Hinz (1666), plus tard au nom de la science expérimentale et de son utilité sociale.

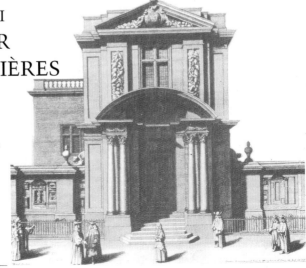

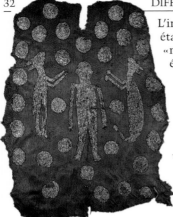

L'inauguration du nouvel établissement, à la fois «musée ashmoléen, école d'histoire naturelle, et laboratoire de chimie», est l'aboutissement d'un long processus. Une dizaine d'années plus tôt, Elias Ashmole, homme d'argent, passionné d'histoire, de généalogie, de numismatique, de botanique, mais aussi féru d'astrologie et d'alchimie, avait décidé de faire don de sa collection à son ancienne université, celle d'Oxford. Ce faisant, Ashmole exécutait d'ailleurs la volonté de celui qui, en 1659, lui avait légué une prestigieuse collection, le «garde» des jardins royaux John Tradescant. Les «raretés Tradescant» formaient en réalité l'essentiel du don Ashmole, qui y avait joint des médailles et des manuscrits.

Les débuts de la «leçon de choses»

Dans les clauses de sa donation, Elias Ashmole avait posé comme condition que l'université d'Oxford construise un bâtiment spécial pour abriter les «raretés Tradescant».

Cette exigence d'Ashmole devait se greffer sur un autre projet de l'université, tout à fait révélateur de cette fin du XVIIᵉ siècle en Angleterre. La chancellerie de l'université venait de décider la création d'un nouvel enseignement, un cours d'histoire naturelle expérimentale, dans l'esprit de ce qu'on appelait la «nouvelle philosophie», c'est-à-dire du programme tracé par le philosophe Francis Bacon. Ce cours avait été confié au docteur Robert Plot, celui-là même qui allait devenir le premier «garde» du musée, auteur d'une *Histoire naturelle du comté d'Oxford*, et membre, comme Ashmole, de la Royal Society,

Survivant de la collection Tradescant, ce manteau de cuir formé de quatre peaux cousues et orné de motifs faits de coquillages, était considéré comme «la cape de Powhatan, roi des Indiens Algonquins de Virginie». Cette curiosité exotique aurait été rapportée d'Amérique en 1637 par Tradescant le Jeune.

Avant d'être léguées à Elias Ashmole, les «raretés Tradescant» avaient été exposées dans les années 1630 dans la maison de ce dernier, à South Lambeth, un faubourg de Londres. L'endroit était devenu rapidement un haut-lieu de la curiosité anglaise, voire internationale.

fondée en 1660 et devenue le principal foyer du baconisme.

«Le musée, écrit le vice-chancelier de l'université, est une nouvelle bibliothèque, qui peut contenir les parties les plus remarquables du grand livre de la Nature, et rivaliser ainsi avec la collection Bodléienne de manuscrits et d'imprimés.» Même si la collection Tradescant participe encore de l'ancienne culture de la curiosité, le nouvel établissement consacre l'expérience sensible comme source essentielle de connaissance et d'instruction; et le musée est la forme organisée de l'expérience. D'où la présence, à ses côtés, d'une école et d'un laboratoire.

Un mélange de curiosité et de vulgarisation

Si une institution comme l'Université prend le relais d'un collectionneur, ce n'est pas seulement pour assurer la conservation des collections, c'est aussi pour les rendre accessibles au public; dès sa

John Tradescant, le père, d'abord au service du duc de Buckingham, fut nommé garde des jardins royaux d'Oatland en 1630. Il avait voyagé en France, en Russie et en Afrique du Nord, exerçant son goût pour la faune, la flore et les coutumes locales. Son fils, qui avait hérité de la charge de jardinier du roi, est représenté ici remerciant un ami qui lui a offert des coquilles exotiques.

naissance, l'Ashmolean Museum est assez largement fréquenté; il l'est d'autant plus que le personnel, un «garde» et un «sous-garde», est rémunéré sur les seules recettes du droit d'entrée. Et les visiteurs ne sont pas que des savants. L'un d'entre eux, Conrad von Uffenbach, un érudit allemand de passage en 1710, est effaré de voir que «les gens touchent à tout sans ménagement, à la manière des Anglais», et que «même les femmes sont admises pour 6 pence : elles se précipitent ici et là, mettent la main à tout, et ne s'attirent aucune remarque du sous-garde». Il est vrai, ajoute von Uffenbach, que ce 23 août était jour de marché.

La diffusion du savoir apparaît à cette époque comme une responsabilité publique. Des villes montrent l'exemple, comme Bologne, Bâle ou Besançon où se créent des musées et des bibliothèques publiques.

«Pour que le peuple voie et s'instruise»

Des souverains se joignent au mouvement, persuadés que la communication des connaissances est la condition du progrès. En 1719 est officiellement inauguré à Saint-Pétersbourg un cabinet public, installé dans la maison du boyard Kikine – compromis dans un complot contre le Tsar –, près du palais Smolny. C'est une initiative de Pierre le Grand lui-même qui, tout en collectionnant pour son compte, avait également voulu que «le peuple voie et s'instruise»; pour ce faire, il avait acheté, en Hollande

L'Academia Clementina de Bologne, fondée en 1709 (ci-contre), rassemble au Palazzo Poggi l'académie des Sciences et celle des Beaux-Arts. Le fronton du palais porte cette inscription : «Institut bolonais des Sciences et des Arts, pour l'usage public de toute la terre.»

Fondée en 1602 par le diplomate Thomas Bodley, la bibliothèque de l'université d'Oxford (ci-contre) fut aussi un lieu de collection important; elle possédait en particulier un très riche cabinet de médailles, dont Elias Ashmole fit le catalogue. D'Oxford au Centre Pompidou, en passant par de nombreux «musées-bibliothèques» du XIXᵉ siècle, l'association de ces institutions représente les deux sources du savoir : les mots, les choses.

La collection du docteur Hans Sloane (1660-1753) comptait à sa mort 79 575 pièces. Benjamin Franklin en 1725, Voltaire en 1727, Linné en 1736, Haendel en 1740, ont été quelques-uns de ses visiteurs de marque.

et en Allemagne, plusieurs collections d'histoire naturelle. Le Tsar avait d'ailleurs été le destinataire, en 1708, d'un memorandum écrit par le philosophe Wilhelm Gottfried Leibniz, préconisant que «ces cabinets ne servent pas seulement au titre de la curiosité, mais avant tout comme moyens de perfectionner les arts et les sciences». Certes, les collections relevaient encore, et très profondément, de la curiosité – au point que Pierre le Grand y exhibait un jeune hermaphrodite vivant, et y employait des personnels difformes, dont Foma, un paysan d'Irkoutsk qui n'avait que deux doigts aux mains et aux pieds –; mais il n'en reste pas moins que l'ouverture au public procédait d'intentions didactiques.

Ici et là, les Etats prennent les choses en mains. C'est en 1737 que la princesse Anna Maria Ludovica, dernière héritière des Médicis, transfère à l'Etat de Toscane la propriété des collections familiales; trente ans plus tard, en 1769, la gestion de la galerie des

Offices passe sous le contrôle de l'administration publique en même temps qu'est décidée sa réorganisation et, un peu plus tard, son ouverture au public. En Angleterre, c'est au Parlement qu'il revient, en 1753, de procéder à l'achat de la collection et de la bibliothèque du docteur Hans Sloane, médecin de la famille royale, qui les avait proposées «à la nation, pour la manifestation de la gloire de Dieu, la réfutation de l'athéisme et de ses conséquences, l'usage et les progrès de la médecine, et le bénéfice de l'humanité». Six ans plus tard, le British Museum est ouvert au public.

Des collections spécialisées

Dans ces musées, peu à peu, la nature et l'organisation des collections se transforment,

La tradition des jardins botaniques remonte au XVe siècle; ils ont d'abord pour fonction de cultiver les «simples», c'est-à-dire les plantes médicinales, et d'acclimater les végétaux exotiques. Après Richer de Belleval à Montpellier et Gaston d'Orléans à Blois, Guy de la Brosse, médecin ordinaire du roi, crée le Jardin des Plantes de Paris en 1633 (ci-contre). C'est en 1739 que Buffon en prend la direction, pour l'étendre et le réorganiser. Il entame en 1749 la publication de son immense *Histoire naturelle*, 36 volumes qui ambitionnent d'être une description exhaustive des productions naturelles, des minéraux à l'Homme, en passant par les végétaux et les animaux.

C'est le 7 juin 1753 qu'est officiellement signé l'acte de fondation du British Museum (ci-contre). «Considérant que tous les arts et les sciences ont entre eux des liens», il est défini comme un «dépôt général», «pour l'usage public de toute postérité». Après avoir envisagé de faire construire un édifice spécial, les *trustees*, à qui le Parlement a confié la direction de l'établissement, choisissent finalement d'acheter Montagu House, un hôtel particulier richement décoré, construit à la fin du XVIIᵉ siècle sur le modèle parisien, «entre cour et jardin», acheté 10 250 livres au comte de Halifax.

Cette *Réunion d'oiseaux étrangers* et ces *Coquillages* (pages suivantes), aquarelles peintes vers 1800 par le chevalier Leroy de Barde, conjuguent la précision scientifique et l'étrangeté du trompe-l'œil.

en rupture avec la tradition de la curiosité : on va vers une plus grande spécialisation et, en même temps, on ne se contente plus de «raretés». Comme l'indique le catalogue de la collection de la Royal Society de Londres, il faut former «un inventaire de la nature», qui inclurait «non seulement les choses étranges et rares, mais aussi les plus connues et les plus communes». Au Jardin du roi, à Paris, Daubenton, qui a la charge du cabinet d'Histoire naturelle à partir de 1745, crée des salles de minéralogie, de botanique et de zoologie, tout en cherchant à rassembler des séries complètes dans chaque ordre. L'étude de la nature passe par la reconstitution sans lacune de la grande chaîne des êtres, pour la comparaison et le classement des espèces.

En réaction contre le baroque, on distribue les œuvres par école

Un phénomène analogue se produit en ce qui concerne les collections artistiques : peu à peu s'impose une présentation à la fois spécialisée et historique. C'est en 1769, quatre ans après l'installation à Florence du grand-duc Pierre-Léopold de Lorraine, qu'est entamée la réorganisation de la galerie des Offices. Jusqu'à cette date, la disposition des collections était marquée par l'esthétique baroque, chaque salle offrant le spectacle d'une grande variété d'objets appartenant à des univers différents, formant une «composition» décorative propre à éveiller l'émotion et la surprise.

En 1771, le grand-duc décide de transférer les instruments scientifiques et les collections d'histoire naturelle dans un autre bâtiment; de ce transfert naîtra un nouveau musée, le cabinet de Physique et d'Histoire naturelle, qui, sous la direction de Felice Fontana, recevra 6 000 visiteurs par an au début des années 1780, 20 000 à la fin de la décennie. Deux ans plus tard, le directeur des Offices, Raimondo Cocchi, propose de former une collection historique de la peinture toscane. Ces peintures, écrit-il, «même si elles ne sont pas surprenantes chacune prise à part, formeront toutes ensemble une

Daubenton, organisant un cabinet, remarque : «L'ordre méthodique, qui dans ce genre d'étude plaît si fort à l'esprit, n'est presque jamais celui qui est le plus agréable aux yeux.»

Alors que se répandent les principes de l'accrochage «historique», la tradition subsiste des salles de chefs-d'œuvre, placés comme hors du temps. Telle est la fonction, jusqu'au XIXe siècle, de la Tribuna du musée des Offices (ci-contre), ou du Salon carré du Louvre.

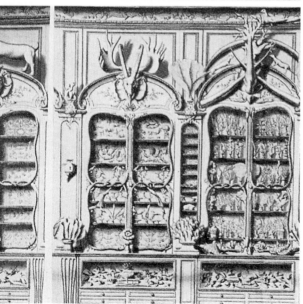

Le cabinet du trésorier général des Etats du Languedoc, Bonnier de la Mosson, fut l'un des plus riches et des plus variés de France au XVIIIe siècle. Un laboratoire de chimie, une apothicairerie, un droguier, des pièces d'anatomie humaine en cire colorée, des armoires d'animaux empaillés, d'insectes, de fossiles et de minéraux, puis un cabinet de physique et des collections mécaniques se succédaient dans sept pièces de son hôtel. L'herbier, le médaillier, un coquillier capitonné de satin blanc et bleu étaient disposés, eux, dans la bibliothèque.

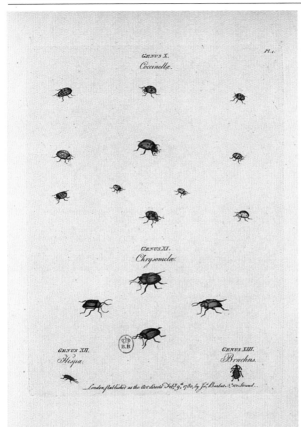

GENUS X.
Coccinella.

PL. I.

GENUS XI.
Chrysomela.

GENUS XII.
Hispa.

GENUS XIII.
Bruchus.

London, Published as the Act directs, Feb? 9., 1782, by Jo? Barbut, N° 10 Strand.

Linné a révolutionné la classification des espèces naturelles (ci-contre) en introduisant une dénomination binaire, qui permet de situer chacune à sa place dans le «système de la nature».

Diderot, Lavoisier, Grimm, parmi bien d'autres, furent les auditeurs des cours de chimie professés par Rouelle (ci-dessous) dans sa pharmacie, puis, à partir de 1743, au Jardin des Plantes.

bonne série que les experts apprécieront, en particulier ceux de notre pays. Aucun souverain n'a jamais eu l'opportunité de rassembler une série historique sur l'art dans sa propre nation.»

Muséographie et histoire de l'art

En 1775, à la mort de Cocchi, la direction est attribuée à Pelli Bencivenni, assisté d'un ancien jésuite spécialiste d'antiquités, Luigi Lanzi. Ce dernier réorganise la présentation des bronzes, séparant les anciens des modernes. Quelques années plus tard, il propose un plan général de réaménagement des peintures, qui ne sera pas immédiatement appliqué. Mais ce travail le conduit à rédiger un ouvrage fondamental, une *Histoire de la peinture en Italie*, qui fait écho, pour l'art «moderne», à l'*Histoire de l'art chez les Anciens*, que Winckelmann avait fait paraître en 1764. Entre temps, deux grandes collections avaient été réaménagées selon le principe d'un regroupement par école et, à l'intérieur de chaque école, d'un classement chronologique : celle de Düsseldorf, et, surtout, celle de Vienne, dont l'érudit Christian von Mechel avait assuré, de 1776 à 1778, la réinstallation au château du Belvédère. C'est dans son catalogue qu'il présente ce musée comme «un dépôt de l'histoire visible de l'art».

Voir pour savoir

De plus en plus au cours du siècle, les collections sont utilisées comme supports de «démonstration», c'est-à-dire à la fois d'étude et de diffusion. A Paris, un public de bourgeois et d'aristocrates fréquente volontiers tel ou tel cours public qui se tient dans un cabinet

HISTOIRE
DE
L'ART
DE
L'ANTIQUITÉ
PAR
M. WINCKELMANN
TRADUITE DE L'ALLEMAND
PAR
M. HUBER
TOME PREMIER

A LEIPZIG,
CHEZ L'AUTEUR ET CHEZ JEAN GOTTL. IMMAN. BREITKOPF,
M. DCC. LXXXI.

•• L'objet d'une histoire raisonnée de l'art est de remonter jusqu'à son origine, d'en suivre les progrès et les variations jusqu'à sa perfection, d'en marquer la décadence et la chute jusqu'à son extinction.••

J.-J. Winckelmann

scientifique, ceux de Lémery ou de Rouelle qui
«démontrent la chimie», c'est-à-dire l'art des
préparations pharmaceutiques, le fameux cours de
physique expérimentale de l'abbé Nollet, ou celui de
Valmont de Bomare, qui exerce comme professeur-
démonstrateur en histoire naturelle trente années
durant, «des premiers jours de décembre au 15 avril,
les mardis, jeudis et samedis matins, à 11 heures et
demie».

Dans le domaine artistique, on voit fleurir à partir
des années 1740, et d'abord dans des villes de
province, les écoles publiques – et le plus souvent
gratuites – de dessin. C'est à Rouen que s'ouvre la
première en 1741, fondée par le peintre J.-B. Descamps.
Il est bientôt relayé par A. Ferrand de Monthelon à
Reims en 1748, par F. Devosge à Dijon en 1766, et par
J.-J. Bachelier, la même année, à Paris. Ce sont des
«musées de modèles» couplés à des cours de dessin.

Les artistes revendiquent l'exposition, au Louvre, des collections royales

Dans l'atmosphère du néo-classicisme, où l'on
cherche à renouer avec la pureté du goût contre les
excès baroques, une bonne partie des milieux
artistiques français entreprend, au milieu du siècle,
de revendiquer l'accès aux collections royales : on
invoque les maîtres anciens comme autant de
modèles nécessaires au redressement de l'art. En 1747
est publié en Hollande un libelle intitulé *Réflexions
sur quelques causes de l'état présent de la peinture
en France*, dont l'auteur est un certain La Font de
Saint-Yenne. Il y propose de «choisir dans le palais du
Louvre un lieu propre pour y placer à demeure les
chefs-d'œuvre des plus grands maîtres de l'Europe, et
d'un prix infini, qui composent le cabinet des
tableaux de Sa Majesté, entassés aujourd'hui et
ensevelis dans de petites pièces mal éclairées et
cachées dans la ville de Versailles, inconnus ou
indifférents à la curiosité des étrangers par
l'impossibilité de les voir». Il s'agit, pour l'auteur, à la
fois de prévenir la dégradation physique des tableaux,
de fournir de grands exemples aux artistes vivants,
et de renforcer, aux yeux des visiteurs étrangers,

Le Salon fut la
première
«exposition
temporaire» d'art
vivant. Organisée à
partir de 1667 par
l'Académie royale
de peinture et de
sculpture, cette
manifestation se tient
au Louvre à partir de
1699, dans la Grande
Galerie (ci-contre).
A partir de 1725 et
pour plus d'un siècle,
l'exposition a lieu dans
le Salon carré, qui lui
donne son nom.

le prestige d'une collection qui, tout en étant celle
du roi, est déjà considérée comme appartenant à la
nation. L'idée de terminer, à cette occasion,
l'aménagement du Louvre sera reprise, vingt ans plus
tard, dans *L'Encyclopédie* de Diderot et D'Alembert.

La monarchie française s'engage

En 1750, le roi Louis XV a fait une concession : une
galerie du palais du Luxembourg est ouverte au
public, le mercredi et le samedi; on y a disposé une
centaine de tableaux de la collection royale, italiens,
flamands et français, présentés de manière éclectique.
Hélas, moins de trente ans plus tard, le gouvernement
décide d'attribuer le Luxembourg au comte de
Provence, le frère de Louis XVI, les tableaux sont
décrochés et le musée est fermé au début de
l'année 1779.

Cependant, arrivé sur le trône en 1774, Louis XVI
infléchit profondément la politique royale. Il nomme
à la direction des Bâtiments du roi son ami le comte
d'Angiviller. Cet admirateur de Jean-Jaques Rousseau
est résolu à mener à son terme l'aménagement du
Louvre, non seulement pour satisfaire aux
revendications des artistes, mais aussi pour ériger
un temple aux grands hommes de la nation et à la
monarchie française : il passe des commandes de
peintures d'histoire et de bustes d'illustres, enrichit
la collection royale de chefs-d'œuvre flamands et
français, décide de faire transférer aux Invalides les
«plans-reliefs», c'est-à-dire les maquettes des villes
fortifiées qui occupaient la Grande Galerie, enfin il
met à l'étude les problèmes que pose la
transformation de cette galerie en musée public. C'est
la minutie et le sérieux de ce travail préparatoire qui,
retardant les décisions, empêcheront l'Ancien Régime
d'aboutir. Une commission, des architectes,
l'Académie d'architecture, puis une nouvelle
commission, seront sollicités tour à tour pour se
prononcer sur les questions d'éclairage, de sécurité et
de cloisonnement de la galerie. En novembre 1788, on
décide, à titre d'expérience, d'installer un dispositif
d'éclairage zénithal au-dessus du Salon carré, où se
déroule tous les deux ans l'exposition de l'Académie :

Dans un rapport adressé le 4 avril 1787 au directeur des Bâtiments du roi sur l'aménagement du Louvre, les membres de l'Académie d'architecture prennent nettement parti en faveur «des jours pris au sommet», c'est-à-dire de l'éclairage zénithal, contre la lumière latérale venue des croisées. Ils font valoir qu'ainsi on projette les ombres vers le bas, on supprime les reflets et les éblouissements, enfin qu'on peut dégager de plus vastes espaces pour l'accrochage. Ils préconisent l'usage de charpentes métalliques pour limiter les risques d'incendie et de verres dépolis pour filtrer les rayons du soleil. Ce texte est un premier traité de technique muséographique.

tout est en place à l'été 1789, et chacun considère que la démonstration est concluante.

Le dernier quart du siècle voit l'éclosion européenne du musée

Si les choses se sont accélérées en France au cours des années 1770, c'est que les musées publics formés à partir de collections princières se multiplient en Europe au même moment. De 1769 à 1779, le landgrave Frédéric de Hesse fait bâtir à Cassel le premier édifice destiné à devenir un musée public; le premier étage abrite la bibliothèque, elle aussi accessible; au rez-de-chaussée sont disposées les collections de sculptures antiques, de sculptures

En 1778 paraît à Bâle, chez l'imprimeur Christian de Mechel, un catalogue raisonné des tableaux de la galerie électorale de Düsseldorf qui en donne une connaissance exacte par des descriptions détaillées, et par une suite de 30 planches contenant 365 petites estampes. L'auteur est un architecte français établi au Palatinat, Nicolas de Pigage.

ESTAMPES
DU CATALOGUE RAISONNÉ ET FIGURÉ
DES TABLEAUX
DE LA GALERIE ÉLECTORALE DE DUSSELDORFF.

modernes, d'art et d'histoire naturelle : cette encyclopédie publique a été construite par un architecte français, Simon-Louis du Ry.

Entre 1779 et 1783, à Munich, les collections de peinture de l'Electeur de Bavière sont installées dans l'aile nord du Hofgarten, et le public peut entrer tous les jours de 9 heures à midi, puis de 13 heures à 16 heures en hiver, et de 13 heures à 17 heures en été. L'Electeur palatin fait de même à Mannheim et à Düsseldorf. La galerie des Offices à Florence est ouverte au public à la fin des années 1780, et celle du Belvédère, à Vienne, en 1792, «à tout visiteur, pourvu qu'il ait des souliers propres». A la veille de la Révolution française, le musée public est devenu une institution nécessaire dont l'avènement semble, un peu partout, à peu près inéluctable.

Les notices détaillées donnent, pour chaque tableau, la date, les dimensions, une description. Chaque salle est représentée par une série de planches qui figurent chacune une paroi. La coupe de la galerie permet de se faire une idée de l'organisation générale de la collection.

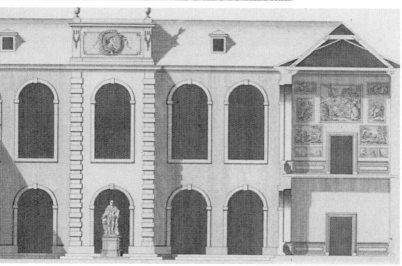

Dès 1789, la Révolution française met en route le grand processus d'appropriation des «biens nationaux». Mais en même temps, elle est aux prises, périodiquement, avec la tentation du «vandalisme», de la destruction de ce qui rappelle l'Ancien Régime. Pour assurer la sauvegarde de ces richesses, elle devra créer un espace neutre, qui fasse oublier leur signification religieuse, monarchique ou féodale : ce sera le musée.

CHAPITRE III
LES FONDATIONS RÉVOLUTIONNAIRES

«C'est [au musée des Monuments français] que j'ai reçu d'abord la vive impression de l'histoire. Je remplissais ces tombeaux de mon imagination, je sentais ces morts à travers les marbres [...].»
Jules Michelet,
Le Peuple

Le 2 novembre 1789, l'Assemblée décrète que «tous les biens ecclésiastiques sont à la disposition de la Nation». Le texte, rédigé par Mirabeau, a été défendu par Talleyrand, l'évêque d'Autun : «le clergé n'est pas propriétaire à l'instar des autres propriétaires, puisque les biens dont il jouit et dont il ne peut disposer, ont été donnés non pour l'intérêt des personnes, mais pour le service des fonctions.»

Pour l'Assemblée, ces «biens nationaux», qui sont remis aux nouvelles administrations du département et du district, sont d'abord destinés à combler le déficit des finances publiques, l'une des causes de la crise de 1789. De fait, nombre de biens fonciers et immobiliers seront mis en vente sous l'égide du comité d'Aliénation dans les mois qui suivent.

Mais assez vite, précisément à partir d'octobre 1790, on s'interroge : s'agit-il

Dans un rapport sur le vandalisme, l'abbé Grégoire note : «Des objets rares et précieux avaient été accumulés, ou plutôt accaparés, pour servir l'ambition des familles ci-devant nobles : tel est le dépôt de l'émigré Castries, composé de plus de vingt mille pièces.» L'hôtel de Castries fut pillé le 13 novembre 1790.

vraiment de marchandises, ces livres, manuscrits, médailles, peintures et autres objets d'art que la Nation vient de s'approprier ? Naît l'idée que l'Etat doit se faire conservateur. Pour les uns, au nom de «l'histoire nationale», dont ces ouvrages sont les «monuments»; pour les autres, comme Talleyrand, au nom de l'instruction : «Les chefs-d'œuvre des arts sont de grands moyens d'instruction, dont le talent enrichit sans cesse les générations suivantes.» Le 13 octobre 1790,

En proposant de rendre la Nation propriétaire des biens ecclésiastiques, Mirabeau soulevait une immense question, que la lutte de la Révolution contre les «monuments de la superstition» allait rendre plus aiguë encore : quel statut donner à des peintures ou à des sculptures qui étaient avant tout des objets de culte, qui tiraient leur signification, et peut-être leur beauté, de la piété qui les avait entourées ? Détachées de tout contexte religieux et dépouillées de tout caractère symbolique, deviendraient-elles des «œuvres d'art»?

l'évêque d'Autun fait voter un décret exigeant des départements qu'ils inventorient et conservent. Un mois plus tard, est formée la «commission des Monuments», où siègent des artistes et des érudits, et qui adresse aux administrations, entre décembre 1790 et juillet 1791, les quatre premières instructions codifiant les règles de conservation et d'inventaire.

Le Muséum, pour mettre les «monuments» à l'abri

Aux biens ecclésiastiques viennent s'ajouter bientôt ceux de la Couronne, devenus biens nationaux, puis ceux des émigrés, confisqués par une loi du 8 avril 1792. Mais au même moment, le «vandalisme révolutionnaire» vient menacer la conservation de ces richesses. L'insurrection du 10 août 1792 met fin à la monarchie; symboliquement, l'émeute avait, sur les places publiques, abattu les statues des rois. Quatre jours plus tard, dans la fièvre d'un débat historique, l'Assemblée prend un décret qui proclame «que les principes sacrés de la liberté et de l'égalité ne permettent point de laisser plus longtemps sous les yeux du peuple français les monuments élevés à l'orgueil, au préjugé et à la tyrannie». Le pouvoir incite à détruire les symboles de l'Ancien Régime, qui

La statue de Louis XIV de la place des Victoires, d'où quatre figures d'esclaves avaient déjà été retirées en juillet 1790, fut abattue le 11 août 1792. Plus tard, on érigea une pyramide portant les noms des citoyens morts le 10 août.

INSTRUCTION

Sur la première d'inventorier et de conserver, dans toute l'étendue de la République, tous les objets qui peuvent servir aux arts, aux sciences et à l'enseignement.

RÉDIGÉES
PAR LA COMMISSION TEMPORAIRE DES ARTS,
ET APPROUVÉ
PAR LE COMITÉ D'INSTRUCTION PUBLIQUE
DE LA CONVENTION NATIONALE

À PARIS,
DE L'IMPRIMERIE NATIONALE.
L'an second de la République.

«offusquent le regard» d'un peuple libre, et légitime un iconoclasme officiel. Tous les biens de la monarchie abattue sont concernés. Le 22 août, pourtant, sous l'impulsion du député Cambon, la cause de la conservation reprend le dessus. La valeur artistique, celle que le musée consacre en l'isolant des autres – politique ou religieuse – est ce qui sauve les œuvres, et le musée s'offre comme un abri.

Dans les mois qui suivent, le ministre de l'Intérieur Roland prend les choses en mains. Il multiplie les instructions et circulaires; invoquant l'urgence, il fait voter, le 19 septembre, un décret «ordonnant le transport dans le dépôt du Louvre des tableaux et autres monuments relatifs aux beaux-arts se trouvant dans les maisons royales». Le 1er octobre, il met en place la commission du Muséum, formée d'artistes et d'un mathématicien, qu'il charge de préparer l'aménagement du nouvel établissement. Au printemps suivant, la commission suggère que l'ouverture du Muséum des arts se fasse le 10 août, jour anniversaire de la chute de la royauté.

Par sa circulaire aux corps administratifs du 3 novembre 1792, le ministre de l'Intérieur Roland (ci-dessus) relance partout dans les départements le travail d'inventaire et de conservation interrompu par la crise de l'été 1792.

Un an après l'ouverture du Muséum, un rapport des conservateurs indique que «la décoration de l'intérieur de la Grande Galerie doit se réduire à séparer par des divisions formées par des colonnes, les objets d'art ou les écoles». Chargés, à partir de 1805, de réaménager la galerie, les architectes Percier et Fontaine, dont on voit ci-contre une esquisse, resteront fidèles à ce principe.

Une nouvelle poussée iconoclaste

L'été 1793, l'insurrection vendéenne et l'avancée des
troupes alliées aux frontières créent une situation de
crise presque désespérée. En juillet, l'Assemblée
ordonne que soient effacés des monuments les signes
de la royauté. Le 1er août, le député Barère propose à
la Convention de décréter la destruction des tombes
royales de Saint-Denis, comme pour conjurer le
retour du régime aboli. Quelques semaines plus tard,
sont abattues les statues de la galerie des Rois et du
portail central de Notre-Dame, qu'on prenait pour des
effigies de rois de France. Et la cérémonie du 10 août
donne lieu à un sacrifice expiatoire, mis en scène
par le peintre David, où sont jetés au bûcher «les vils
attributs de la royauté» et «les orgueilleux hochets
de l'ignorante noblesse».

Cependant, dès octobre, un nouveau thème se
dégage, qui fonde, cette fois pour longtemps, une
politique de conservation et qui sera martelé dans les
mois suivants par l'abbé Grégoire : la République doit
assumer l'histoire de la Nation, vouloir l'effacer, c'est
revenir à la barbarie. Le décret du 24 octobre 1793
condamne fermement les abus et dispose que «les
monuments publics transportables, intéressant les
arts ou l'histoire, qui portent quelques-uns des signes
proscrits, qu'on ne pourrait faire disparaître sans leur
causer un dommage réel, seront transférés dans le

D'août à décembre
1794, l'abbé
Grégoire (ci-dessous)
présente
à la Convention trois
rapports sur le
vandalisme. Il y
dénonce l'ignorance,
la négligence et la
malveillance contre-
révolutionnaire :

«Inscrivons donc sur
tous les monuments et
gravons dans les cœurs
cette sentence : "Les
barbares et les esclaves
détestent les sciences
et détruisent les
monuments des arts;
les hommes libres
les aiment et les
conservent."»

musée le plus voisin pour y être conservés pour l'instruction nationale». En décembre, la commission des Monuments est remplacée par la commission temporaire des Arts, et un Conservatoire formé de dix membres, peintres, restaurateurs, sculpteurs, architectes et antiquaires, est chargé de l'administration du Muséum. En mars de l'année suivante est publiée l'*Instruction sur la manière d'inventorier et de conserver sur toute l'étendue de la République, tous les objets qui peuvent servir aux arts, aux sciences et à l'enseignement*, un véritable manuel de conservation rédigé par l'anatomiste Félix Vicq d'Azyr. Sur le plan théorique comme sur le plan technique, le musée est érigé en conservatoire.

Ces «stations» marquent la cérémonie du 10 août 1793, un an après la chute de la royauté. Parti des ruines de la Bastille, le cortège finit au Champ-de-Mars. A la troisième station, place de la Révolution, on brûle «les imposteurs attributs de la royauté» : le jour de l'inauguration du Muséum, la Révolution hésite entre iconoclasme et conservation.

Le Muséum d'histoire naturelle

Le 10 juin 1793, sur rapport de Lakanal, la Convention transforme le Jardin des Plantes en Muséum national d'histoire naturelle. L'opération est rondement menée. Daubenton présente à Lakanal une brochure datée de 1790, dans laquelle les officiers du Jardin des Plantes avaient formulé, trois ans plus tôt, un projet de réorganisation que le décret du 10 juin reprendra pratiquement tel quel.

Après la Restauration, le Muséum sera rebaptisé Jardin du roi, mais continuera à organiser des visites.

La mort de Buffon en 1788 avait ouvert une crise grave au Jardin des Plantes. Plutôt que de rester sur la défensive, les professeurs et les gardes avaient échafaudé un plan ambitieux : d'un établissement encore marqué par ses origines «médicinales» et dominé par la botanique, ils proposaient de faire «un véritable Musaeum d'histoire naturelle», où l'on étudierait la totalité des productions de la nature, et où l'on s'intéresserait aux applications des sciences naturelles, «une sorte de métropole de toutes les sciences utiles à l'Agriculture, au Commerce et aux Arts». Douze cours seraient ouverts au lieu de trois, et les professeurs seraient appelés à élire leur directeur et à coopter leurs pairs en cas de vacance d'une chaire.

Reprenant les propositions rédigées par Daubenton et ses collègues Fourcroy, Lamarck et Thouin, la Convention consacre, au Muséum, une «république des professeurs».

Le Conservatoire des arts et métiers

«Au nom des comités d'Agriculture, des Arts et d'Instruction publique, je viens vous présenter des moyens de perfectionner l'industrie nationale.» C'est en ces termes que l'abbé Grégoire, à la séance de la Convention du 8 vendémiaire an III (29 septembre 1794), introduit sa proposition de former un conservatoire des arts et métiers. Dans la filiation de l'*Encyclopédie*, le souci de Grégoire est à la fois de revaloriser les «arts mécaniques» – «dans un pays libre, tous les arts sont libéraux» – et de faciliter la communication des inventions et procédés de fabrication dont les traditions corporatistes entravaient la diffusion.

Après 1793, le Muséum d'histoire naturelle (à droite) connaît de multiples développements, portés sur le plan de Thouin de 1823 : extension du cabinet, construction de galeries et de serres, installation de la ménagerie, avec les loges des bêtes féroces, la rotonde et les nombreuses «fabriques».

Ce n'est qu'après 1830, sous la direction de Vaudoyer, que leConservatoire des arts et métiers, ex-abbaye de Saint-Martin, sera aménagé. Ci-dessus, projet de 1820.

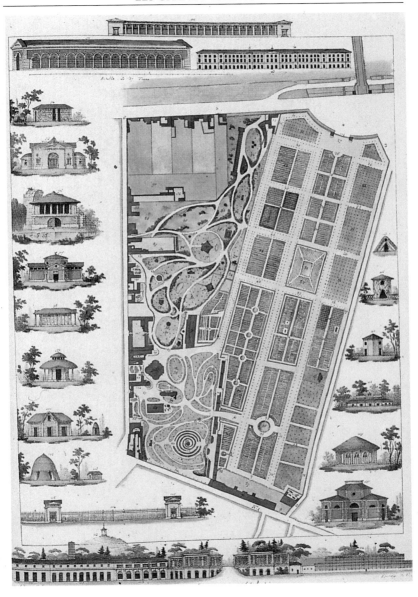

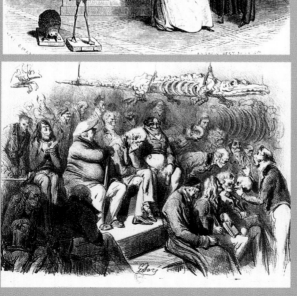

Dès 1794, l'amphithéâtre du Muséum d'histoire naturelle est achevé (ci-contre). La galerie d'anatomie (à gauche) et la galerie des oiseaux (ci-dessous) participent de l'entreprise de vulgarisation menée par l'établissement, où se combinent la recherche la plus savante, les visites de curiosité et les cours, comme ceux que caricature Gustave Doré (en bas à gauche).

«Dans le local du Conservatoire, il y aura une salle d'exposition où toutes les inventions nouvelles viendront aboutir. Ce moyen, absolument semblable à ce qui se pratique au Louvre pour la peinture et la sculpture, nous a paru très propre à féconder le génie.»

Le décret de création est pris le 10 octobre : on propose de réunir les collections de «modèles» (c'est-à-dire de maquettes) déjà rassemblées par Vaucanson, le duc d'Orléans, le duc de Condé et celles de l'ex-Académie des sciences, d'y joindre des échantillons de produits, de nommer des «démonstrateurs» et des dessinateurs. Pour entreposer et présenter ses collections, le nouvel établissement n'aura de local qu'en 1798, lorsque Grégoire obtient l'attribution de l'abbaye de Saint-Martin-des-Champs; l'année suivante, il est ouvert au public.

Le musée des Monuments français, une initiative quasiment personnelle

Alexandre Lenoir, un jeune artiste, a obtenu en 1791 le poste de garde du dépôt des Petits-Augustins, un ancien couvent où sont entreposées les pièces de sculpture confisquées aux fondations religieuses. Dans les années de tourmente, Lenoir en fait, comme il le raconte plus tard, «un asile pour les Monuments de notre histoire, que des barbares, à certaines époques, poursuivirent la hache à la main». Statues, tombeaux, monuments, bustes, médaillons, vitraux s'accumulent sous sa vigilante protection.

Or, quelques jours avant la dissolution de la Convention, le 21 octobre 1795, Lenoir obtient l'autorisation de transformer son dépôt en musée des Monuments français. Aux sculptures entreposées, il ajoute celles qu'il commande à des artistes vivants, puis entreprend une grandiose mise en scène de l'ensemble. Il consacre chaque salle à un siècle de l'histoire de France, donnant à chacune une atmosphère particulière, sombre au début, plus lumineuse à mesure qu'on progresse dans le temps; salle par salle, il présente le style artistique propre à la période, et surtout met en scène les monuments aux grands hommes de chaque époque :

Alors que le public se bouscule à l'entrée du Louvre (à gauche), Alexandre Lenoir présente sa nouvelle salle du XVIIᵉ siècle au musée des Monuments français (ci-dessous).

Un génie bienfaisant a sans doute enfanté le XVIIᵉ siècle pour l'honneur de la Nation française; guerriers, poètes, hommes d'Etat, peintres, statuaires, graveurs, tous ont marché vers l'immortalité.
Alexandre Lenoir

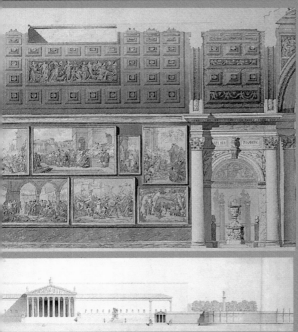

Dès avant la Révolution, le musée fait son apparition parmi les sujets donnés aux concours d'architecture. Le «Salon des arts» de Billandel, prix de Rome en 1754 (en bas), avec sa rotonde supportée par une triple colonnade, appartient encore au baroque. Dans les concours suivants (1778, 1791, 1814), sous l'influence de Boullée et du *Précis* de Durand, l'esprit néo-classique l'emporte, avec un plan carré où s'inscrit une croix grecque, comme encore dans le projet de Léveil, prix de Rome en 1832, dont on voit ici le plan, une élévation et une vue de galerie.

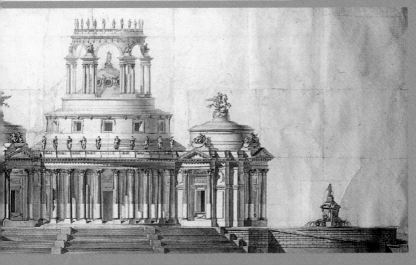

une leçon d'art se conjugue à une leçon d'histoire, dans une «galerie des Illustres» où l'histoire prend la forme du culte des morts.

Posant les principes fondateurs, la Révolution française a découpé, dans l'univers du musée, quatre grands domaines qui l'organiseront pour longtemps : l'art, l'histoire, les sciences de la nature et les techniques.

Parme est l'une des premières villes conquises par Bonaparte (ci-dessus). L'article 4 de l'armistice du 9 mai 1796 oblige le duc à remettre «vingt tableaux, au choix du général en chef».

«Les fruits du génie sont le patrimoine de la liberté»

A partir de l'été 1794, la Révolution, devenue conquérante en Europe, se lance dans une vaste entreprise de «rapatriement», c'est-à-dire de saisie d'œuvres d'art prises à l'ennemi défait. Bruxelles est investie le 20 messidor an II (8 juillet 1794) et dix jours plus tard, les représentants du peuple aux

Le jour même de la prise de Parme, Bonaparte écrit au Directoire : «Je vous enverrai le plus tôt possible les plus beaux tableaux du Corrège, entre autres un *Saint Jérôme*, que l'on dit être son chef-d'œuvre.»

armées, «informés que, dans les pays où les armées victorieuses de la République française viennent de chasser les hordes d'esclaves soldés par les tyrans, il existe des morceaux de peinture et de sculpture, et autres productions du génie; considérant que leur véritable dépôt, pour l'honneur et les progrès des arts, est dans le séjour et sous la main des hommes libres», arrêtent les listes des dépouilles. Les convois de peinture flamande arrivent à Paris en octobre, les splendeurs de Rubens déclenchent au Louvre une explosion d'admiration. Dans les mois qui suivent, c'est au tour des collections hollandaises – dont celle du Stathouder – puis de celles des principautés rhénanes de subir la déportation.

La Révolution a élaboré une rhétorique exaltée pour démontrer que les œuvres du génie ne peuvent être «chez elles» qu'au pays de la liberté, destination naturelle de ce qui ne peut être apprécié là où règne la superstition et le despotisme.

"Les chefs-d'œuvre d'Italie sont le fruit le plus précieux de nos conquêtes."
Arrêté du Directoire

«Rome n'est plus dans Rome»

Le 2 mars 1796, Bonaparte est nommé général en chef de l'armée d'Italie. Un mois plus tard, les troupes sont en campagne de l'autre côté des Alpes. Parmi les enjeux dont on rêve à Paris, il y a ces œuvres canoniques entre toutes, les sculptures antiques et les peintures de la Renaissance. Dès le début mai, Bonaparte écrit à Paris pour qu'on lui envoie «trois ou quatre artistes connus pour choisir ce qu'il convient de prendre». Le Directoire nomme une commission chargée de «faire passer en France tous les monuments des sciences et des arts qu'ils croiront dignes d'entrer dans nos musées et nos bibliothèques»; on y trouve le mathématicien Monge, le chimiste Berthollet, les naturalistes Thouin et La Billardière, le peintre Berthélémy et le sculpteur Moitte.

C'est le cortège emportant loin de Rome les œuvres saisies (ci-dessous) qui inspirera les protestations de Quatremère de Quincy : «Dépecer le muséum d'antiquités de Rome serait une folie, et d'une conséquence irrémédiable. Les autres peuvent toujours se recompléter : celui de Rome ne pourrait plus l'être. Le lieu qu'occupent les autres est assez souvent indépendant du genre de leur science : celui de Rome a été placé là par l'ordre même de la nature, qui veut qu'il ne puisse exister que là : le pays fait lui-même partie du muséum.»

Les opérations sont menées avec méthode : les armistices imposés aux princes ou aux villes contiennent systématiquement une clause de cession; puis la commission choisit. En mai, les saisies sont opérées à Parme, Modène, Milan; en juin à Crémone et Bologne; le 23 juin, le pape cède «cent tableaux, bustes, vases ou statues au choix des commissaires», disposition qui sera confirmée dans le traité de Tolentino, signé le 19 février 1797; puis vient le tour de Mantoue, de Vérone et de Venise.

Le Directoire prépare l'«entrée triomphale des monuments d'Italie»

Le projet fait l'objet d'un décret pris le 26 avril 1798. Deux convois d'œuvres italiennes étaient déjà parvenus à Paris, mais cette fois, il s'agit de mettre en scène, en une cérémonie spectaculaire, le «triomphe» conjoint des arts et de la liberté. La fête a lieu le 9 thermidor de l'an VI (27 juillet 1798).

En fait, les saisies de l'Apollon du Belvédère, du Laocoon et des toiles de Raphaël avaient déclenché à Paris, dès l'été 1796, une vive controverse politique et artistique. A cette occasion, l'archéologue et historien

Sous l'Empire, les prises de guerre s'accumulent : dans la rotonde d'Apollon, Vivant-Denon présente le butin.

A.-C. Quatremère de Quincy avait fait paraître un brillant réquisitoire contre les saisies, qui était aussi une des premières critiques radicales du musée, les *Lettres à Miranda*. Il y dénonçait «l'esprit de conquête», «entièrement subversif de l'esprit de liberté»; il y mettait en question ces musées pour lesquels on arrache les œuvres à leur contexte, on isole des fragments de la vie artistique d'un peuple, d'une époque, d'un lieu.

Le consulat crée un réseau de musées en province

«Le Muséum des arts présente en ce moment la plus riche collection de tableaux et de statues antiques qu'il y ait en Europe. Là se trouvent réunies toutes les richesses qui se trouvaient éparses avant la Révolution... 1 390 tableaux des écoles étrangères... 270 de l'ancienne école française... plus de 1 000 de l'école moderne... 20 000 dessins... 4 000 planches gravées... 30 000 estampes... 1 500 statues antiques...» Tels sont les constats par lesquels Chaptal, ministre de l'Intérieur, ouvre son rapport aux consuls le 13 fructidor an IX (31 août 1801). Sur quoi il propose de répartir, dans quinze villes de province, des lots tels que «chaque collection présente une suite intéressante de tableaux de tous les maîtres, de tous

L'arrivée au Champ-de-Mars des chefs-d'œuvre saisis fut l'occasion, pour François de Neufchâteau, ministre de l'Intérieur, d'un grand moment d'éloquence : «Mânes fameux! Divins génies! dont les admirables travaux sont réunis dans cette enceinte! Répondez à la faible voix qui croit être entendue de vous : dites, lorsque vous éprouviez les tourments de la gloire, aviez-vous le pressentiment du siècle de la liberté ? Oui, c'était pour la France que vous enfantiez vos chefs-d'œuvre. Enfin donc ils ont retrouvé leur destination. Réjouissez-vous, morts fameux, vous entrez en possession de votre renommée.»

les genres, de toutes les écoles.» Les villes choisies sont celles où les écoles de dessin, les dépôts de biens confisqués ont déjà formé des embryons de musées : Lyon, Bordeaux, Strasbourg, Bruxelles, Marseille, Rouen, Nantes, Dijon, Toulouse, Genève, Caen, Lille, Mayence, Rennes, Nancy.

Le décret, daté du 14 fructidor, impose aux villes de préparer à leurs frais, «une galerie convenable» pour recevoir les œuvres déposées. Près de 600 tableaux seront envoyés, en 1802 puis en 1805. De nouveaux envois seront provoqués, un peu plus tard, par le décret impérial du 15 février 1811.

Administrativement, l'arrêté Chaptal est l'acte de naissance des musées de province : un réseau de musées placés sous la responsabilité des villes, mais aussi sous la tutelle de l'Etat, s'établit sur le territoire français.

Jean-Antoine Chaptal (1756-1832), soucieux de répartir sur l'ensemble du territoire les richesses accumulées à Paris, fut un partisan infatigable de la modernisation administrative et économique du pays.

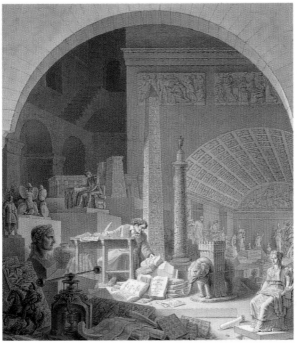

Dessinateur, graveur, diplomate, auteur d'un roman galant, *Point de lendemain*, séducteur, ami de la Pompadour, de Voltaire, de David, compagnon de Bonaparte pendant la campagne d'Egypte, Dominique Vivant-Denon (à gauche) présida aux destinées du musée Napoléon, de 1802 à 1815, qu'il enrichit des dépouilles ramenées par la Grande Armée. Désormais, la «visite au Louvre» allait devenir un sujet, pour les écrivains comme pour les peintres, à l'instar d'Isabey représentant le grand escalier (à droite).

A l'aube du XIXe siècle, qui est sans conteste l'âge d'or des musées, la sculpture antique représente la valeur suprême. Autour des œuvres rapportées de Grèce ou d'Egypte, témoins des origines et modèles pour les artistes, s'institue une véritable «religion de l'Art», dont les musées deviennent les temples. Et chaque nation s'enorgueillit de détenir sa part du trésor.

CHAPITRE IV
L'ÂGE D'OR

Mai 1887 : la République française organise, dans la salle des Etats du Louvre, une exposition-vente des diamants de la Couronne. Le produit de cette vente servira à créer une Caisse des musées nationaux, pour l'acquisition d'œuvres d'art. Ci-contre, la salle égyptienne du Louvre, avec le Grand Sphinx.

En 1812, Louis, prince héritier du royaume de Bavière, passionné de culture grecque, parvient à acheter les dix-huit statues archaïsantes et les nombreux fragments dégagés, l'année précédente, du temple d'Egine. La vente s'est faite à Malte, où les représentants bavarois ont emporté l'enchère contre les Britanniques et les Français. Début 1814, le futur roi organise à Munich un concours d'architecture pour la construction d'une «glyptothèque» – un mot forgé à partir de racines grecques, pour désigner une galerie de sculptures. Elle devra être bâtie «dans le style grec le plus pur, avec un portique de colonnes cannelées d'ordre dorique», allusion claire au Parthénon. Il y aura aussi aussi une salle d'apparat, décorée «à fresques», où le prince pourra organiser des fêtes et des concerts, survivance de son usage privé. Le projet de l'architecte Leo von Klenze est retenu en 1816, la construction achevée en 1830. Les sculptures sont alors placées, conformément à l'*Histoire* de Winckelmann, en ordre chronologique, l'apogée représentée par la statuaire grecque occupant le milieu du parcours,

La construction de la glyptothèque de Munich donna lieu à une controverse publique : Martin Wagner, artiste et conseiller à la cour de Bavière, souhaitait un édifice «sans ornement», strictement «adapté à sa fonction». A l'inverse, Klenze, avec l'appui du Prince, réalisa une architecture à façade monumentale et au décor intérieur riche : une œuvre d'art totale.

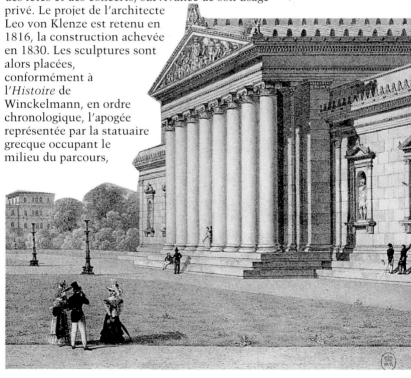

précédée de sculptures égyptiennes, et suivie de salles romaines et «modernes».

Culte des antiques et temples de l'Art

Quelques années auparavant, à la faveur d'un rapprochement anglo-turc, l'ambassadeur de Grande-Bretagne à Constantinople, lord Elgin, avait organisé le démontage systématique des sculptures de l'Acropole, puis rapatrié son butin en Angleterre. En 1816, après de rudes controverses, le Parlement anglais finit par acheter les «marbres Elgin» au profit du British Museum, qui vient d'acquérir la frise du temple de Bassae. Sept ans plus tard, l'architecte Robert Smirke est chargé de construire un nouveau musée sur le site de Montagu House, l'hôtel du XVIIe siècle qui abritait jusque-là les collections : même si

L ord Elgin (ci-dessus) fait partie de ces diplomates amateurs d'archéologie qui, prenant appui sur les puissances qu'ils représentent, organisent des fouilles – certains diront des «pillages» – et fournissent les grands musées d'Europe. Avant lui, le comte de Choiseul-Gouffier, lui aussi en poste à Constantinople, avait organisé le transfert en France de la frise des Panathénées. En 1820, son successeur le marquis de Rivière se charge d'acquérir pour le Musée royal la Vénus de Milo. En Égypte, grâce à des privilèges obtenus du vice-roi Méhémet Ali, des diplomates comme Drovetti, consul de France de 1803 à 1829, ou Salt, consul d'Angleterre à partir de 1816, organisent un véritable trafic qui alimente «l'égyptomanie».

« Le premier but d'un musée est de favoriser la formation spirituelle d'une Nation par la contemplation du Beau». Ainsi s'exprime l'historien d'art K. F. Waagen, premier directeur du Musée royal de Berlin, plus tard appelé Altes Museum. Au centre de cette construction élevée de 1825 à 1830, son architecte Schinkel a disposé une rotonde en forme de Panthéon autour de laquelle sont placées en surplomb des statues de dieux antiques. A partir de ce «sanctuaire» se distribuent les salles de sculpture au rez-de-chaussée, et de peinture au premier étage.

l'institution reste fidèle à sa vocation encyclopédique, également musée d'histoire naturelle et bibliothèque publique, désormais ce sont les trésors archéologiques qui en forment le cœur. La construction de Smirke en est l'expression, avec sa longue colonnade ionique, ornée en son milieu d'une façade de temple grec, huit colonnes surmontées d'un fronton.

Dès lors, le temple grec, la coupole du Panthéon romain et les villas renaissantes de Palladio sont les références classiques de l'architecture de musée, que ce soit en Grande-Bretagne, en Allemagne ou aux Etats-Unis, et jusqu'au XXᵉ siècle. En 1928 est inauguré le nouveau musée des Beaux-Arts de Philadelphie : aux frontons des temples qui forment la façade, on a disposé des sculptures polychromes censées reproduire fidèlement celles de l'Acropole.

L'hommage aux grandes civilisations

Après l'expédition de Bonaparte, le goût de l'antique se porte volontiers sur les dépouilles de l'Egypte ancienne. Là aussi, des diplomates-archéologues-marchands servent de fournisseurs aux grands musées d'Europe. Londres, Paris, Berlin et Turin sont les principaux acheteurs.

En 1826, Jean-François Champollion, qui vient de réussir à déchiffrer l'écriture hiéroglyphique, est appelé par Charles X pour diriger le «musée égyptien» du Louvre, qui s'enrichit bientôt des fouilles de l'archéologue Prisse d'Avennes, dont la salle des Ancêtres de Karnak.

A partir des années 1840, les antiquités du Moyen-Orient, les arts sumériens, babyloniens et assyriens, viennent à leur tour rejoindre, dans les grands musées, le panthéon des civilisations. A partir des fouilles menées à Ninive par le consul de France Paul-Emile

Le développement des grands musées d'antiquités est lié au goût archéologique qui se répand depuis le milieu du XVIIIe siècle. Dès avant la Révolution, l'inspiration égyptienne était sensible dans l'architecture et le mobilier, et le comte de Caylus possédait une riche collection égyptienne dans les années 1740. Mais c'est l'expédition de Bonaparte en Egypte, en 1798-1799, qui stimule l'intérêt porté à la civilisation pharaonique, grâce au *Voyage dans la Basse et Haute Egypte* que publie Vivant-Denon en 1802, puis à la monumentale *Description d'Egypte* parue «par les ordres de S. M. l'Empereur Napoléon» en vingt volumes de 1809 à 1822.

La mission menée à Khorsabad par Victor Place de 1852 à 1854 vient enrichir le Musée assyrien du Louvre. Les salles sont alors réaménagées sur le modèle d'un palais assyrien : taureaux ailés en gardiens de porte, colosses installés dans des niches, bas-reliefs incrustés aux parois.

Botta, le Louvre crée, en 1847, un «musée assyrien», magnifié par les taureaux ailés de Khorsabad. Là aussi, une rivalité s'instaure entre le musée parisien et le British Museum, qui organise lui-même des expéditions archéologiques en Mésopotamie.

Le prestige grandissant des «antiquités nationales»

Au XIXe siècle, le nom d'«antiquités» désigne, tantôt les œuvres auxquelles on accorde, parce qu'elles transcendent leur histoire particulière, une valeur artistique universelle, tantôt les objets, monuments ou documents historiques, qu'on conserve parce qu'ils représentent les traces matérielles d'une culture disparue.

Or, à partir de l'époque romantique, l'archéologie locale, la recherche des vestiges qui rappellent les origines d'une ville, d'une région, d'une nation, connaît un développement important, déclenché par l'ébranlement révolutionnaire, multiplié par l'affirmation des identités nationales, relancé par les grands travaux d'urbanisme. De nombreux musées naissent de ces recherches.

Souvent, des sociétés savantes, formées d'érudits locaux, sont à l'origine de ces fondations. En 1824, Arcisse de Caumont crée à Caen la Société des antiquaires de Normandie ; selon ses statuts, chaque nouveau membre doit, au moment de son admission, donner à la société un objet d'antiquité. L'exemple est suivi à Toulouse, Nancy, Bourges, Langres, Autun, Colmar, Narbonne, Amiens... : fragments lapidaires, éléments d'architecture, objets religieux, vitraux, statues, mosaïques, monnaies, toute trouvaille significative du passé local est étudiée et conservée.

Le 8 novembre 1862, Napoléon III signe un décret selon lequel «il est fondé à Saint-Germain un musée d'antiquités celtiques et gallo-romaines». L'empereur, grand admirateur – et historien – du césarisme, avait d'abord voulu abriter les vestiges trouvés sur les sites d'Alésia et de Gergovie. L'établissement est bientôt rebaptisé musée des Antiquités nationales. Comme on le lit dans un des premiers livrets, «l'observateur pourra [y] étudier les mœurs et les usages de nos aïeux, depuis le jour où notre sol a reçu la visite de l'homme jusqu'au temps de Charlemagne».

Dès 1784, la ville d'Arles avait créé un dépôt public pour ses antiquités, le Muséum Arelatense (ci-dessous). Cinquante ans plus tard, naît la Société française pour la conservation des monuments, sous la direction d'Arcisse de Caumont (ci-dessus).

«Tout prend aujourd'hui la forme de l'histoire» (Chateaubriand)

Le musée des Monuments français avait dû fermer ses portes en 1816, mais il avait profondément marqué les esprits. «Que d'âmes, écrit Michelet, y avaient pris l'étincelle historique, l'intérêt des grands souvenirs, le vague désir de remonter les âges !»

Or, l'hôtel de Cluny, loué en 1832 par le collectionneur Alexandre du Sommerard pour y installer son bric-à-brac d'objets médiévaux et renaissants mis en scène en d'étonnantes reconstitutions, était attenant aux anciens thermes gallo-romains : le fils d'Alexandre Lenoir avait très tôt imaginé d'en faire un musée des «antiquités nationales». En 1836, la ville de Paris acquiert les thermes et y fait déposer

Magistrat à la Cour des comptes, Alexandre du Sommerard (1779-1842) fut parmi les premiers à s'intéresser aux objets médiévaux. Auteur d'un vaste ouvrage, *Les Arts au Moyen Age*, il choisit l'hôtel de Cluny, avec sa chapelle gothique flamboyante (ci-dessous), pour créer un cadre conforme à l'esprit de ses collections.

des statues et des chapiteaux provenant d'églises parisiennes. Et c'est en 1843, un an après la mort d'Alexandre du Sommerard, que l'Etat se porte acquéreur de l'hôtel et de ses collections, pour en faire un musée. Le 17 mars 1844, jour de l'inauguration, 12 000 personnes s'y bousculent, 16 000 le dimanche suivant.

En Allemagne, c'est en 1852 qu'est fondé, à Nüremberg, le Germanisches Nationalmuseum : là aussi, l'art médiéval, rejeté comme barbare par la grande histoire de l'Art, devient symbole du génie national.

«Présenter à la France la réunion des souvenirs de son histoire»

Si des objets sont là pour rappeler l'histoire, on peut aussi en créer l'imagerie. Dès les débuts de la Monarchie de Juillet, à un moment où les peintres romantiques empruntent volontiers leurs sujets au passé médiéval, Louis-Philippe décide de faire du château de Versailles un «musée historique».

La salle des fêtes du musée de Saint-Germain, aussi appelée salle de Mars, servait, selon son conservateur, «de magasin général et de lieu d'exposition pour les monuments trouvés hors de Gaule, présentant de l'intérêt à titre de comparaison». On y avait accumulé des pièces archéologiques scandinaves, orientales, sibériennes et américaines. De ce fait, elle devint, au début du XXᵉ siècle, une «salle de comparaison», où l'on tenta d'offrir une vision globale des cultures humaines, organisée selon une conception évolutionniste de la civilisation.

Pour ce faire, cette monarchie en mal de légitimité commandera aux artistes des représentations des grands événements censés manifester l'unité et la continuité nationales. Le morceau de bravoure en est la galerie des Batailles, où, sur 120 mètres, trente-trois tableaux de grand format conduisent de Tolbiac (496) à Wagram (1809); une salle est consacrée à l'année 1792, une autre à 1830. Une salle des Croisades expose les blasons des familles qui ont défendu la chrétienté. Les commandes se poursuivront après l'ouverture en 1837, · représentations souvent grandioses de la conquête de l'Algérie, des guerres de Crimée et d'Italie, de la guerre franco-prussienne, qui font de Versailles un grand livre d'histoire illustré.

De nombreuses villes de province aménagent, dans leur musée ou leur bibliothèque, des «galeries d'illustrations», peuplées de bustes ou de portraits, qui font pendant aux monuments publics, pour rendre hommage aux gloires locales. Ces petits musées qui prolifèrent au cours de la seconde moitié du siècle, placés sous la houlette de commissions municipales, soutenus par des «sociétés des amis des arts»,

Le 10 juin 1837, Louis-Philippe inaugure son Musée historique de Versailles. Après avoir conduit ses invités dans une longue visite, il leur offre un banquet dans la galerie des Glaces, puis les convie à l'Opéra, pour une représentation du *Misanthrope*.

enrichis de collections hétéroclites au hasard des donations, disposés à acheter de préférence des œuvres des artistes locaux, forment progressivement un réseau de lieux de mémoire.

Les musées des Beaux-Arts, lieux d'étude pour les artistes

Durant la plus grande partie du siècle, les musées d'art sont considérés avant tout comme des recueils de modèles destinés aux artistes. Les salles de

Louis-Philippe avait voulu une conversion totale du palais de Versailles. Entre juin 1833 et décembre 1847, il effectue 398 visites à son chantier favori, lui donnant toujours plus d'extension et le modifiant sans cesse. Outre les galeries de peintures d'histoire, les Grands Appartements, restitués, illustrent le règne de Louis XIV. Au rez-de-chaussée se multiplient les salles de portraits. Quatre galeries (ci-contre), peuplées de bustes et de statues (à gauche) organisent la circulation entre les différentes parties de cet immense complexe muséographique.

Autour de *L'Enlèvement de Proserpine* de Girardon, moulage pris sur le groupe de la colonnade de Versailles, la salle des XVIIᵉ et XVIIIᵉ siècles du musée de Sculpture comparée présente une grammaire de la sculpture classique française. Viollet-le-Duc avait présenté son projet devant la commission des Monuments historiques, qui le reprend à son compte et fait effectuer près de 400 moulages entre 1879 et le 28 mai 1882, date d'ouverture du musée.

«maîtres anciens» sont envahies par les copistes et les étudiants. Les règlements indiquent en général que le «grand public» n'y a accès que le dimanche, parfois un autre jour de la semaine.

Le British Museum, le Musée de Berlin, le Louvre sont dotés d'ateliers de moulages, qui diffusent auprès des autres musées et des écoles des Beaux-Arts des copies de leurs sculptures, supports de l'apprentissage du dessin. Et Viollet-le-Duc, peu avant de mourir, réalise un rêve ancien, en obtenant qu'une aile du palais du Trocadéro construit pour l'Exposition universelle de 1878 soit affectée à un musée de Sculpture comparée. Célébration de la statuaire française, exercice de muséologie comparative, cette galerie de plusieurs centaines de moulages, pris sur les églises et monuments de France, est d'abord conçue comme un lieu de travail pour les artistes, les architectes et les historiens d'art.

La situation change progressivement à partir de la seconde moitié du siècle. Le succès des grandes expositions révèle l'immense audience de l'art. L'utilité sociale

du musée public devient une sorte d'évidence. Les donations se multiplient, devenant la principale source d'enrichissement. Comme l'écrit Alfred Bruyas, l'ami et protecteur de Courbet, lorsqu'en 1868 il offre sa collection à la ville de Montpellier, «les œuvres du génie appartiennent à la postérité et doivent sortir du domaine privé pour être livrées à l'admiration publique.»

Entre 1860 et 1914, l'implantation des musées d'art se généralise. Aux Etats-Unis, le Metropolitan Museum de New York et le musée des Beaux-Arts de Boston ouvrent en 1870, celui de Philadelphie en 1875, celui de Chicago en 1879. Dans les grandes villes de province françaises, comme pour se mesurer au Louvre, les «palais des arts» se multiplient : après l'exemple d'Amiens, c'est au tour de Grenoble, Marseille, Rouen, Lille, Nantes d'entreprendre la construction de cet édifice public désormais indispensable au paysage urbain.

Le catalogue de l'atelier de moulage du Louvre compte 300 modèles vers 1840, près d'un millier en 1883. A sa fermeture, en 1927, 1 500 moules sont reversés au Trocadéro. La confection du moule se fait en assemblant des pièces de plâtre, prises directement sur l'original, comme on voit ici sur le Sphinx en 1852. A partir de ces négatifs, on tire des épreuves en plâtre. Pour éviter de détériorer l'original, on pratique le surmoulage, à partir d'une épreuve de bonne qualité.

De la salle des Antiques, peinte par Dromart dans les années 1830 (à gauche), à la Grande Galerie, représentée en 1865 (ci-contre), puis en 1874 (ci-dessous), les copistes sont omniprésents au Louvre. Artistes à l'exercice, jeunes femmes n'ayant pas accès à l'Ecole des beaux-arts, fabricants de copies travaillant à la commande, ils sont si nombreux qu'un règlement de 1865 établit qu'un même tableau ne peut être copié par plus de trois personnes à la fois.

En 1819, 1823 et 1827, le vieux Louvre de la Cour carrée accueille les expositions des produits de l'industrie française. Ci-contre, en 1823, autour de la statue équestre d'Henri IV rétablie par Louis XVIII, sont présentés des instruments aratoires et des machines.

La menace de l'invasion prussienne en 1870 conduit les conservateurs à mettre les œuvres à l'abri à l'arsenal de Brest. Pendant ce temps, la Grande Galerie (ci-contre) est transformée en atelier de rayage des canons.

Une alliance de l'art et de l'industrie

L'exposition de «modèles» n'était pas seulement destinée à la formation des artistes. Face aux progrès de l'industrialisation qui ruine les métiers traditionnels, on pense qu'il faut obtenir des ouvriers qu'ils prennent exemple auprès des œuvres les plus belles, et des artistes qu'ils contribuent au perfectionnement des productions industrielles. Expositions industrielles, musées d'arts appliqués et écoles de dessin sont mis au service de cette ambition.

L'élan vient d'Angleterre, au lendemain de la première Exposition universelle, tenue à Londres en 1851. Henry Cole, entrepreneur et gentleman victorien, avait été membre du comité d'organisation. L'exposition finie, on lui confie un crédit de 5 000 livres pour racheter, parmi les objets exposés, de quoi former une collection permanente, et l'on consacre les bénéfices de l'exposition à l'acquisition d'un terrain à South Kensington. Le musée ouvre en 1852 dans un local provisoire, puis s'installe en 1856 dans ses nouveaux bâtiments, qu'on appelle, par dérision,

La construction du bâtiment actuel du Metropolitan Museum of Art (ci-dessous) débuta en 1874, et le public y accéda six ans plus tard. La ville de New York en avait concédé le terrain dans Central Park. Pourtant, comme la plupart des musées américains, celui-ci était né d'une initiative privée ; une cinquantaine de riches industriels et collectionneurs s'étaient associés dès 1870 pour constituer une collection et former un comité de *trustees*, chargés de collecter des fonds. Ils avaient exposé leurs acquisitions dans un local provisoire de la Cinquième avenue.

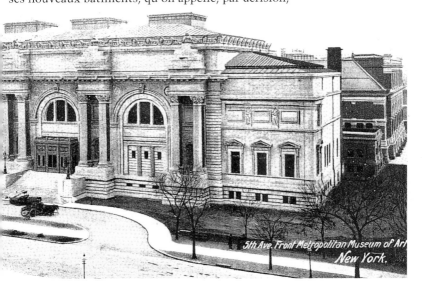

5th Ave. Front Metropolitan Museum of Art New York.

LONDON: THE VICTORIA AND ALBERT MUSEUM.

«les bouilloires» : c'est une architecture de fonte et de verre, ouvertement utilitaire, aux antipodes des «temples de l'art». Autres innovations, le musée reste ouvert le soir, «aux heures qui conviennent aux classes laborieuses», introduit l'éclairage artificiel au gaz et organise un service de prêt de modèles. Avec ses multiples collections, son école d'art, son amphithéâtre et sa bibliothèque, le South Kensington Museum – qui sera doté d'un nouveau bâtiment au tournant du siècle, et rebaptisé Victoria and Albert Museum – devient rapidement un modèle envié.

Entre 1860 et 1880, Vienne, Hambourg, Stockholm, Budapest et Berlin suivent l'exemple anglais en fondant des musées d'art décoratif. A chaque fois, les enjeux économiques sont invoqués, car ces établissements ont aussi pour vocation de stimuler les productions nationales, à un moment où le libre-échange se généralise.

En France, l'initiative privée joue un rôle déterminant. A Lyon, c'est la chambre de Commerce qui décide, en 1856, la fondation du musée d'Art et d'Industrie : «Ce musée spécial constituera pour nos manufacturiers et nos industriels à la recherche de motifs nouveaux, des archives riches et toujours ouvertes où

L e nouveau bâtiment du Victoria and Albert Museum est construit de 1899 à 1908 sous la direction de l'architecte Aston Webb.

ils pourront venir renouveler leur inspiration, un dépôt de types variés de l'art de la soie à toutes les époques.» A Paris, c'est l'Union centrale des beaux-arts appliqués à l'industrie, société à vocation commerciale fondée en 1864, qui est à l'initiative du musée et des expositions ; à la fin des années 1870, l'Etat joint ses efforts à ceux des fabricants, et le musée des Arts décoratifs finit par s'installer, en 1905, au pavillon de Marsan du Louvre.

Henri Cole, à la tête du South Kensington Museum jusqu'en 1873, inaugura la pratique des expositions temporaires, permettant au musée de renouveler ses présentations en empruntant à des particuliers. En 1867, il obtient la signature d'une convention aux termes de laquelle les grandes collections princières échangeraient des reproductions de leurs plus belles pièces pour en faciliter l'exposition au public.

Les musées au service de la vulgarisation

A travers d'innombrables initiatives, les musées prennent part aux efforts d'instruction et de vulgarisation qui marquent le dernier quart du siècle. Au moment où se met en place, en France, la politique d'instruction de la République, «la réorganisation du musée – selon les termes d'une circulaire ministérielle de 1881 – est le corollaire de celle de l'école». Les incitations gouvernementales sont relayées par des campagnes d'associations, comme celle que mène un avocat de Lisieux, Edmond Groult, en faveur de musées cantonaux. «Moraliser par l'instruction, charmer par les arts, enrichir par les sciences», tel est le slogan de ce militant de la leçon de choses, qui parvient à susciter la création d'une cinquantaine de ces petites encyclopédies locales. Des initiatives philanthropiques viennent se joindre au mouvement, comme celle de l'industriel Emile Guimet. «J'ai consulté l'histoire des civilisations, j'ai recherché, dans tous les pays, dans tous les temps, quels hommes avaient voulu faire le bonheur des autres, et j'ai trouvé que c'étaient tous les fondateurs de religions.» D'où la création, d'abord à Lyon en 1879, puis à Paris en 1889, d'un musée d'Histoire des religions d'Orient, «une usine de science philosophique dont les collections ne sont que les matières premières».

Aux Etats-Unis, le mécénat privé se consacre aussi à la vulgarisation scientifique. Dès 1846, le fils naturel d'un duc anglais, James Smithson, avait

Après le succès des premières Expositions universelles, la ville de Manchester organise en 1857 une ambitieuse exposition artistique intitulée «Art Treasures». Elle a lieu dans une immense basilique de verre et d'acier. La nef centrale (ci-dessous) abrite sculptures et art décoratif, et les nefs latérales, d'un côté une rétrospective de peintures anciennes, de l'autre un choix de peintures anglaises contemporaines.

donné l'exemple : sans avoir jamais visité les Etats-Unis, il avait légué au gouvernement américain 500 000 dollars «pour l'augmentation et la diffusion des connaissances parmi les hommes», fondant ainsi la Smithsonian Institution de Washington. Vingt ans plus tard, le banquier George Peabody, qui a déjà réalisé de nombreuses donations philanthropiques en faveur de l'instruction et du logement, finance la fondation d'un musée d'archéologie et d'ethnographie auprès de l'université américaine de Harvard.

Le succès populaire est tel que des trains spéciaux sont affrétés de Londres. Des illustrés satiriques racontent, en anglais populaire, la visite à l'exposition (à gauche).

En 1837 est ouvert au public, dans une douzaine de salles du Louvre, le musée de la Marine, destiné à exposer, d'une part «les modèles des navires français anciens et nouveaux», d'autre part les curiosités ethnographiques rapportées des contrées lointaines par les navigateurs. Dans la première salle, on a monté une étrange pyramide, formée des débris – cloches, fûts de canons, pièces d'ancres... – des bateaux de La Pérouse, naufragés en 1788 sur l'île de Vanikoro.

L'émergence des sciences humaines

Héritières des curiosités exotiques d'autrefois, enrichies par les voyages d'exploration, puis par la formation des empires coloniaux, les collections ethnographiques ont d'abord un statut indécis, relevant aussi bien de musées d'antiques, de marine, d'histoire naturelle, que de collections géographiques. C'est vers le milieu du siècle que l'ethnographie devient une discipline autonome.

En 1837, de retour d'un voyage au Japon, le médecin et botaniste Philipp-Franz von Siebold est chargé par le roi de Hollande d'organiser en musée les collections qu'il en avait rapportées ; ainsi naît le Museum voor Volkerkunde de Leyde. L'exemple se diffuse en Allemagne, à Leipzig, Munich puis Berlin. En Angleterre, l'université d'Oxford bénéficie en 1883 du don du général Pitt-Rivers, qui avait commencé à collectionner les armes, pour en suivre les perfectionnements. De fait, dans ces musées, l'exposition d'objets ethnographiques, classés principalement par types, tend à démontrer le développement linéaire de l'humanité, les progrès

réalisés par l'espèce suivant son degré de civilisation, en matière d'habitat, d'armes, d'outillage, etc.

A Paris, au lendemain de l'Exposition universelle de 1878, E.-T. Hamy, professeur d'anthropologie au Muséum, est chargé d'organiser un musée d'ethnographie au nouveau palais du Trocadéro. A ce moment, les innovations muséographiques viennent des pays scandinaves : stimulées par une forte volonté d'affirmation nationale, les recherches en ethnographie locale ont encouragé la conservation des témoignages matériels des traditions populaires. En 1873, Artur Hazelius avait créé à Stockholm le Nordiska Museet, consacré à toutes les contrées «où se parle une langue de souche scandinave», où les objets de la vie rurale comme ceux de la vie urbaine étaient présentés «dans des intérieurs complets animés de figures et de groupes représentant des scènes de la vie intime et des occupations de la vie domestique». Le musée du Trocadéro ouvre en 1884 une salle d'Europe, où l'on voit un intérieur breton composé de sept mannequins grandeur nature.

A la veille de la Première Guerre mondiale, le champ du musée s'est considérablement élargi. Dans une synthèse fragile, il se veut à la fois conservateur de passé et facteur de progrès.

Au Nordiska Museet de Stockholm (ci-dessous), la présentation des intérieurs traditionnels, vers 1875, s'inspire des musées de cire, très en vogue à la même époque, comme le musée Grévin, qui ouvre à Paris en 1882.

Passéisme, académisme, confusion muséographique : entre les deux guerres, le musée fait l'objet de critiques virulentes et de remises en cause radicales. Depuis quelques décennies, au prix de profonds renouvellements, il semble avoir renoué avec son temps.

CHAPITRE V
LES MUSÉES ET LA MODERNITÉ

En 1982 est ouvert au public, dans la petite ville allemande de Mönchengladbach, le musée municipal construit par l'architecte Hans Hollein, dont on voit à gauche une salle. Selon son concepteur et premier directeur, Johannes Cladders, «le musée est potentiellement l'œuvre d'art totale du XXe siècle.» Autre symbole de l'architecture contemporaine des musées, la pyramide de I. M. Pei, au Louvre (ci-contre).

Au XIXᵉ siècle, en devenant le garant des valeurs artistiques, le musée avait acquis peu à peu une nouvelle fonction, celle de consacrer les talents des artistes vivants. Depuis 1818, l'Etat français avait établi, au palais du Luxembourg, un musée des artistes vivants, une sorte d'«antichambre du Louvre» alimentée par les achats de l'administration des Beaux-Arts. Commencée avec 74 tableaux à l'ouverture, la «collection» de peintures en contenait 1 500 en 1919.

Le désir d'être ainsi reconnu avait conduit de nombreux artistes à s'assurer, par legs ou donation, que leurs œuvres entreraient au musée, voire qu'un musée spécial leur serait consacré ; ainsi, les sculpteurs Thorwaldsen, David d'Angers ou Rodin, les peintres Turner ou Gustave Moreau.

Contre l'académisme, l'idée de «musée d'art moderne»

Mais en même temps, depuis les années 1870, la plupart des musées publics, particulièrement en France, étaient passés à côté de l'œuvre des artistes les plus novateurs. Qu'il s'agisse de Manet, des impressionnistes ou des post-impressionnistes, il avait fallu de multiples initiatives extérieures à l'institution, pressions, souscriptions, donations, legs, pour qu'aient lieu des reconnaissances tardives. En Allemagne, un conservateur comme Hugo von Tschudi, nommé à la tête de la Galerie nationale de Berlin en 1896, avait fait de superbes acquisitions de toiles de Manet, Monet, Renoir et Cézanne, mais cela lui valut finalement d'être contraint à la démission une douzaine d'années plus tard. Certains, artistes ou critiques, en concluaient que les musées, voués par essence à la défense des valeurs de la tradition, étaient inévitablement sourds aux ruptures et aux audaces de l'art «indépendant».

C'est de ce constat que naît, ici et là, dans les années 1920, l'idée du «musée d'art moderne».

Pierre-André Farcy, dit Andry-Farcy (à gauche), fonda à Grenoble le premier «musée d'art moderne» français. Il imposa l'idée qu'une collection d'art vivant peut traduire le parti pris d'un conservateur qui, à ses risques et périls, choisit. Il exposa en 1927 à Grenoble les expressionnistes et symbolistes belges, et fut l'initiateur de trois importantes expositions à Paris : «Les Maîtres populaires de la réalité» en 1937, «Les Maîtres de l'art indépendant» la même année, puis «Les Premiers Maîtres de l'art abstrait» en 1949.

Après quatre ans d'efforts, Rodin et ses amis obtiennent en 1916 que l'Etat accepte la donation de ses œuvres et de ses droits, en échange de l'ouverture d'un musée dans l'hôtel Biron. Le débat parlementaire avait été vif, certains s'offusquant de l'immoralité des œuvres, d'autres refusant que l'Etat fasse un musée à un artiste vivant. Finalement, le conservateur du Luxembourg Léonce Bénédite, photographié ci-contre avec Rodin dans sa villa de Meudon en 1917, est chargé de préparer l'ouverture du musée.

En 1919, un journaliste et dessinateur, Andry-Farcy, arrive à la tête du musée de Grenoble. «Mes projets, écrit-il, sont simples : continuer en faisant le contraire de ce qu'ont fait mes prédécesseurs [...]. J'ouvre la porte aux jeunes, à ceux qui apportent une forme neuve dans une écriture que je n'ai jamais encore vue ! Voilà la règle [...] qui permettra de réaliser le seul musée moderne qui soit en France.» Une œuvre de Matisse donnée dès 1919, une toile de Picasso

l'année suivante, un don de Monet, puis le legs de la collection rassemblée par Marcel Sembat et sa femme : le musée de Grenoble devient en quelques années, aux yeux des artistes et des collectionneurs, celui qui, en France, s'intéresse aux «talents neufs».

Des initiatives de collectionneurs ou d'artistes

En juillet 1929 paraît à New York un manifeste signé d'un comité de riches amateurs et collectionneurs. Ils annoncent deux intentions : «tenir, dans les deux années qui viennent, une série d'expositions qui fournissent une présentation aussi complète que possible des grands maîtres modernes – américains et européens – depuis Cézanne jusqu'à nos jours ; ouvrir un musée public permanent qui fera régulièrement l'acquisition des meilleures œuvres d'art moderne.» Dès novembre, dans un local loué sur la Cinquième avenue, se tient la première exposition, formée d'une centaine d'œuvres de Cézanne, Gauguin, Seurat et Van Gogh, ainsi consacrés comme fondateurs de l'art moderne. Organisées par Alfred Barr, les expositions se succèdent à un rythme élevé, puis, en 1931, les *trustees* obtiennent le legs de la collection d'une des fondatrices, Lillie Bliss ; ce sera le noyau des richesses du MoMA, le Museum of Modern Art.

La même année s'ouvre au public, dans la ville ouvrière polonaise de Lodz, le Muzeum Sztuki. Cette fois, des artistes en ont pris l'initiative : tenants de l'abstraction, influencés par les constructivistes russes, Wladyslaw Strzeminski et ses compagnons ont formé une «collection internationale» d'œuvres d'artistes vivants, qu'ils définissent comme «un instrument critique» au service de «la culture plastique».

Ce panneau publicitaire en anglais pour le musée de Grenoble atteste de sa vitalité et de celle du tourisme naissant.

Le concours pour la construction des deux musées d'Art moderne, celui de l'Etat et celui de la Ville de Paris, est ouvert le 15 septembre 1934. Les candidats ont deux mois pour présenter leur projet. Dans la précipitation, le commissariat de l'Exposition universelle en examine cent vingt-huit, et repousse ceux de Mallet-Stevens et de Le Corbusier. Ci-dessous, le président Albert Lebrun et le ministre Georges Bonnet examinent, en 1936, la maquette des lauréats.

A Paris, les rapports difficiles entre l'Etat et l'art contemporain

A Paris, alors que ses conservateurs se plaignent de l'exiguïté du lieu et étudient son déménagement, le musée du Luxembourg fait l'objet de critiques virulentes. En 1925, sous le titre «Pour un musée français d'art moderne», la revue *L'Art vivant* lance une enquête auprès de ses lecteurs. «C'est un lieu commun de dire que le musée du Luxembourg, chargé par définition de représenter l'art contemporain, ne représente actuellement que l'art académique. Pour pallier à la carence du Luxembourg, on parle depuis quelque temps de créer en France un musée où «l'art vivant» serait admis.» Cinq ans plus tard, dans les *Cahiers d'art*, Christian Zervos lance un manifeste, «pour la création à Paris d'un musée des artistes vivants». «Va-t-on renouveler avec l'art contemporain l'erreur qu'on a commise avec la peinture impressionniste?... Les plus belles œuvres de la génération qui nous précède ont quitté la France... Il est urgent de créer un musée d'art contemporain qui permettrait de

Au cours de la première année du MoMA, Alfred Barr présenta neuf expositions temporaires : des artistes travaillant à Paris (Picasso, Matisse, Derain, Bonnard, Braque...), des sculpteurs comme Lehmbruck ou Maillol, et des artistes américains, parmi lesquels Eakins, Homer ou Weber.

sauvegarder au moins une part importante de la création artistique actuelle.»

Il faut attendre la préparation de l'Exposition universelle de 1937 pour que l'Etat, associé à la municipalité parisienne, décide de faire construire un double palais, quai de Tokyo, pour abriter le Musée national d'art moderne d'un côté, celui de la Ville de Paris de l'autre. Du fait de la guerre, et malgré une inauguration partielle sous l'occupation allemande, le MNAM n'ouvrira véritablement ses portes que le 9 juin 1947. Jean Cassou en est le directeur depuis 1945, il a réuni les collections du Luxembourg et celles du Jeu de Paume, où André Dézarrois, conservateur des écoles étrangères, avait acquis, entre autres, des œuvres de Picasso, Kandinsky, Dali. Surtout, Cassou, à la faveur de crédits exceptionnels, enrichit la collection d'œuvres majeures d'artistes vivants tels que Matisse, Braque ou Brancusi. Le jour de l'inauguration, le directeur des Musées de France, Georges Salles, peut affirmer : «Aujourd'hui cesse la séparation entre l'Etat et le Génie.»

La muséologie, une profession

Au cours de cette période, de l'entre-deux-guerres aux années 1950, les pratiques muséographiques héritées du XIXe siècle sont profondément remises en cause. On admet de plus en plus difficilement l'entassement dans les vitrines de séries d'objets répétitives, les tableaux accrochés bord à bord sur deux, trois, voire quatre rangées superposées, les décors de salles surchargés d'ors et de stucs. Sous l'influence d'une esthétique épurée, celle que défend l'école du Bauhaus en matière d'aménagement intérieur, on cherche à mettre en valeur l'objet pour lui-même : on allège la présentation en isolant davantage chaque objet, on facilite la circulation du regard, on privilégie la neutralité des fonds, on porte attention aux supports et à l'éclairage. On crée des réserves ou des galeries d'étude, considérant que le musée n'a plus à fournir – en tout cas au visiteur non spécialiste – une matière d'étude aussi abondante que possible.

Dans cette nouvelle organisation de l'espace du musée, sont fréquemment aménagées des salles

En 1942, l'architecte Mies van der Rohe (1886-1969) dessine un «projet de musée pour une petite ville», où il imagine le Guernica de Picasso (ci-dessus). Dans cette esquisse, les cloisons sont supprimées : «On a cherché, explique-t-il, à abattre la barrière qui sépare l'œuvre d'art de la collectivité vivante.»

destinées à des expositions temporaires, dont l'organisation devient peu à peu une composante naturelle de la vie d'un musée.

Pour traiter de ces questions, ainsi que des problèmes d'architecture, de conservation, de restauration, la profession des musées s'organise à l'échelle internationale. En 1926, sous l'égide de la Société des Nations, se crée l'Office international des musées, qui publie la revue *Mouseion*. En 1928, Prague accueille un important congrès consacré aux arts populaires et, en 1934, à Madrid, l'Office organise une conférence internationale d'études, qui dégage des règles en matière d'architecture

En 1919, Walter Gropius (ci-dessus) fonde l'école du Bauhaus à Weimar. Parmi les enseignants, on trouvera Itten, Kandinsky, Klee, Moholy-Nagy, Schlemmer. Mies van der Rohe dirigera l'établissement de 1930 à sa fermeture en 1933, avant de s'exiler aux Etats-Unis en 1938.

À Marquèze, au cœur du Parc naturel régional des Landes de Gascogne, l'écomusée est formé d'un «quartier» de fermes landaises du XIXe siècle remontées et restaurées. La collecte a permis de disposer du mobilier landais et (à droite) des quenouilles, fuseaux et tournets caractéristiques de cette économie pastorale.

et d'aménagement des musées d'art, bientôt éditées en un manuel de muséographie.

Débats, critiques, innovations

Au lendemain de la Seconde Guerre mondiale, un nouvel organisme de coopération internationale est créé dans le cadre de l'UNESCO : l' International Council of Museums. De 1948 à 1966, l'ICoM est dirigé par Georges-Henri Rivière, fondateur du musée des Arts et Traditions populaires, et ardent partisan d'une nouvelle muséologie qui, en cette période de modernisation et de décolonisation, fasse jouer aux musées, en particulier dans le domaine ethnographique, un rôle de développement social, et pas seulemen de conservation du passé.

C'est de ce courant que sont issus, autour de 1968, les écomusées. Héritiers des musées d'ethnographie locale et de plein-air nés en Europe du Nord à la fin du XIXᵉ siècle, ces «musées de site» se consacrent tantôt à l'habitat et à l'environnement, comme dans les Landes de Gascogne ou la presqu'île d'Ouessant, tantôt au milieu industriel, comme au Creusot. Ils s'inscrivent en fait dans un vaste mouvement de prolifération des musées à l'échelle internationale qui se déploie pendant les années 1970 : dans une société industrielle qui bouleverse et uniformise les modes de vie, ces établissements, appelés au Canada «centres d'interprétation», se veulent l'expression de la diversité culturelle, moyens d'affirmer l'identité de communautés ethniques ou sociales qui se reconnaissent autour d'un territoire, d'une activité agricole ou d'un patrimoine industriel.

Un prestige retrouvé

A partir de 1975, à un moment où le marché de l'art s'emballe, une série impressionnante de constructions, extensions, rénovations, réhabilitations, affecte le monde des musées dans les grandes métropoles et les villes moyennes, mobilisant les architectes les plus réputés.

En 1928, après une jeunesse de «sulfureux impertinent», Georges-Henri Rivière est embauché par Paul Rivet au musée d'ethnographie du Trocadéro. C'est là qu'il invente, selon les termes de Levi-Strauss, «une muséologie d'avant-garde, puritaine, avec une élégance raffinée, où l'objet parle pour lui-même et par lui-même». C'est là aussi qu'avec les sociétés ethnographiques, il participe aux préparatifs d'expéditions, comme ici avec Michel Leiris et Marcel Griaule, pour la mission Dakar-Djibouti.

A Paris, le Centre Pompidou est inauguré le 31 janvier 1977. Les architectes Renzo Piano et Richard Rogers ont pris acte de ce que la création plastique a fait éclater la «forme-tableau» : le musée doit offrir la plus grande flexibilité à l'exposition des œuvres. Aussi créent-ils de vastes plateaux libres, à la périphérie desquels sont placés, visibles en façade, les dispositifs qui assurent les fonctions techniques. Apologie de l'architecture industrielle, le Centre Pompidou se veut aussi, en affichant sa transparence et son accessibilité, un établissement ouvert sur son environnement urbain.

On retrouve ces espaces neutres et modulables, manifestes du génie technologique, dans les grands musées scientifiques et techniques nés au cours de cette période. Ouvert en 1975, le musée de l'Air et de l'Espace de Washington est installé en bordure du Mall, l'esplanade symbole de l'histoire américaine,

entre la National Gallery et le Capitole. La même maîtrise technique de l'espace est exaltée au musée construit par Frank O. Gehry à Los Angeles à l'occasion des jeux Olympiques de 1984. Enfin, le plus récent de ces grands projets, la cité des Sciences et de l'Industrie, construite à Paris entre 1983 et 1986 sous la direction d'Adrien Fainsilber, se présente ouvertement comme une «cité du futur».

L e musée de l'Air et de l'Espace de Washington (ci-dessus) est le plus visité du monde. Quant au Centre Pompidou (à droite), il accueille chaque année huit millions de visiteurs.

Le bâtiment du Solomon R. Guggenheim Museum à New York, commandé en 1943 à l'architecte Frank Lloyd Wright, fut inauguré en 1959. La galerie d'exposition est constituée d'une rampe en spirale de 430 m, qui se déroule sur cinq niveaux et se divise en une quarantaine de «salles». Le choix d'un plan incliné comme lieu d'exposition a suscité d'innombrables controverses.

L'architecture manifeste un nouveau rapport au passé

Pourtant, dans les nombreux musées d'art en chantier au cours de la décennie 1980, les partis pris architecturaux témoignent d'une sensibilité nouvelle. Renouant avec une tradition italienne de réutilisation d'anciens palais, illustrée dès les années 1950 par Carlo Scarpa à Palerme ou à Vérone, de nouveaux projets viennent se couler dans des monuments anciens : le musée Picasso, ouvert en 1985 dans un hôtel du XVIIe siècle du quartier du Marais ; le musée d'Orsay, consacré à l'art de la seconde moitié du XIXe siècle, qui s'installe dans la gare d'Orsay, construite au cœur de Paris en 1900. De même, l'extension de la Tate Gallery, construite par James Stirling, ou celle du musée des Arts décoratifs de Francfort, œuvre exemplaire de Richard Meier, traduisent une volonté de respecter les architectures

De 1971 à 1978, l'architecte I. M. Pei construit la nouvelle aile de la National Gallery de Washington. Formée de deux blocs triangulaires organisés autour d'une cour centrale, elle abrite des salles d'exposition et un centre d'étude des arts visuels. On y voit déjà le motif de la pyramide utilisée comme puits de lumière, que l'on retrouvera au Louvre.

primitives, parfois de les imiter, en tout cas de s'intégrer fortement dans le contexte urbain hérité du passé. Par ailleurs, on restaure volontiers des musées construits au siècle dernier, en retrouvant leurs qualités originelles, comme à Amiens, Rouen, Nantes, Lyon ou Paris, avec la réouverture de la Grande Galerie du Muséum d'histoire naturelle en 1994; et même des bâtiments entièrement nouveaux pratiquent la citation, comme le musée archéologique de Merida en Espagne, évocation d'une nef romaine monumentale.

Des centres culturels?

Ces musées, qu'ils soient modernes ou post-modernes, ont un trait commun : ils répondent tous, désormais, à un programme complexe. Parfois, il s'agit de réunir plusieurs disciplines artistiques; mais il s'agit toujours de prendre en compte une multiplicité d'activités et de combiner des équipements divers.

Greffés sur les espaces d'exposition, on trouve des centres de recherche, de documentation ou de restauration d'œuvres, parfois des bibliothèques publiques, des auditoriums, salles audio-visuelles, ateliers pédagogiques, des services commerciaux, librairies, boutiques, cafés, restaurants, des surfaces importantes pour l'accueil, l'information, l'orientation des visiteurs…

De nombreux chantiers, l'extension du MoMA à New York ou de la National Gallery à Washington, les travaux du Grand Louvre, sont engagés, autant pour l'accroissement des surfaces d'exposition que pour l'intégration de ces nouvelles fonctions. Plusieurs de ces grands établissements éditent des livres, produisent des films, organisent concerts et conférences. Leur fréquentation s'accroît. Pour prendre l'exemple des trente musées nationaux français, ils ont accueilli en 1960 environ 5 millions de visiteurs; en 1970, environ 6 millions; plus de 9 millions en 1980; et près de 14 millions en 1993. Le Louvre, Versailles, Orsay reçoivent chaque jour entre 10 000 et 20 000 visiteurs. L'augmentation s'explique par l'ouverture de nouveaux bâtiments et par l'accroissement de la capacité d'accueil, mais aussi par le fait que la visite au musée est remise à l'honneur.

De fait, ces grands musées deviennent des centres d'activités multiformes : autour du noyau formé par les collections permanentes et les expositions temporaires, s'est constitué aujourd'hui, ancré au cœur de la cité, un espace public caractéristique d'une époque, où le spirituel et la consommation sont inextricablement mêlés, dans ce qu'il est convenu d'appeler la vie «culturelle».

Grands chantiers des années 1980-1990, à New York comme à Paris : le Metropolitan Museum ouvre l'aile Wallace, réservée à l'art contemporain (ci-dessous), tandis que les «grands projets» se réalisent à Paris. Le 24 septembre 1981, le président Mitterrand confirme la poursuite du projet du musée d'Orsay (dont on voit à gauche le chantier en janvier 1984) et annonce que le ministère des Finances quittera le Louvre pour que celui-ci soit tout entier consacré au musée. Sous la conduite de l'architecte I. M. Pei et du directeur du musée Michel Laclotte, le Louvre se transforme par grandes étapes : réorganisation autour de l'espace d'accueil sous la pyramide (1989, ci-dessus), ouverture de l'aile Richelieu (1993), et des salles de sculpture française (1993, page suivante, la cour Marly).

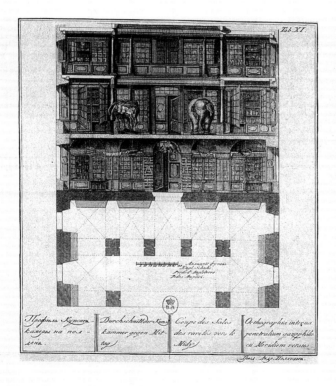

TÉMOIGNAGES
ET DOCUMENTS

Le sens de la visite…

Les donations

Les musées constituent et accroissent leurs collections selon diverses modalités. Bien entendu il leur arrive d'acheter des pièces, directement à leur propriétaire ou en passant par les ventes publiques. En France, l'Etat consacre aux achats le produit du droit d'entrée des musées nationaux, ainsi qu'une subvention budgétaire. Il peut aussi acquérir des œuvres en paiement de droits de succession. Mais l'enrichissement des musées a été très souvent le résultat de «libéralités», c'est-à-dire de dons ou de legs réalisés par des collectionneurs, des artistes, des descendants d'artistes ou des bienfaiteurs.

Statuts, Ordres & Règlements, pour l'Ashmolean Museum, à l'Université d'Oxford

Les actes de donation, en même temps qu'ils illustrent les intentions des donateurs, fixent des obligations, parfois strictes, aux musées.

Parce que la connaissance de la Nature est très nécessaire à la vie humaine, à la santé & à tout ce qui leur convient, & parce que cette connaissance ne peut être aussi bien et aussi utilement acquise, que lorsque l'histoire de la Nature est connue et considérée; et que (cette fin) requiert l'inspection d'Articles, surtout ceux de Fabrication extraordinaire, ou utiles dans la Médecine, ou qui s'appliquent à la Manufacture ou au Commerce : Je, soussigné, Elias Ashmole, par attachement pour ce genre d'Apprentissage, dans lequel j'ai moi-même pris et prends encore le plus grand plaisir; raison pour laquelle aussi, j'ai accumulé grande variété de Solides & de Corps naturels, & en ai fait don à

P ortrait d'Elias Ashmole, fondateur de l'Ashmolean Museum d'Oxford, par Riley.

l'Université d'Oxford, où j'ai moi-même été Etudiant, & dont j'ai l'honneur d'être Membre : afin qu'il n'y ait pas de mauvaise interprétation de mon Intention Véritable, ni détérioration de mon don, j'ai pensé bon, selon les Actes de Convocation, en date du 4 Juin : Année 1683 et du 19 Sept : Année 1684 de prescrire, constituer et décréter ce qui suit. [...]

I. Je Décrète que le Vice-Chancelier actuel, le Doyen de Christchurch, le Principal de Brazenose, le Professeur du Roi en Physique, & les deux Membres Exécutifs du Conseil de Discipline, ou leurs Adjoints, seront les Visiteurs dudit Musée.[...]

3. Que le Don entier, fait ou à faire, sera réparti selon des catégories précises; et qu'un chiffre sera fixé à chaque article; & qu'il sera ainsi consigné dans le Catalogue des articles.

4. Que ledit Catalogue sera divisé en parties, selon le nombre de Visiteurs, afin que le travail de Visitation puisse être exécuté, chaque Visiteur confrontant sa partie & constatant que les articles sont sûrs et en bonne condition, & répondant au Catalogue, Comme cela se fait dans la Visitation de la Bibliothèque Bodley. [...]

6. Que tout Corps naturel qui soit très rare, qu'il s'agisse d'Oiseaux, d'Insectes, de Poissons et autres articles du même genre, apte à se putréfier & à se décomposer avec le temps, sera reproduit dans un Livre In-Folio en Vélin, soit avec des gouaches, ou au moins dessiné en noir et blanc, par un bon Maître, avec une référence à la description du Corps même, & la mention du Donneur, dans le Catalogue; Livre qui sera à la Garde du Conservateur du Musée, sous Clef.

7. Que s'il y a dans ledit Musée beaucoup d'articles du même genre, le Conservateur susdit du Musée pourra légalement, avec l'Accord de trois des Visiteurs, dont l'un devra être le Vice-Chancelier, l'échanger contre quelque article manquant; ou en faire Don, à une Personne de qualité extraordinaire.

8. Qu'à mesure qu'un article vieillit ou dépérit, le Conservateur pourra le retirer dans un des Placards, ou autre entrepôt; & y substituer un autre.

9. Que tous les Manuscrits donnés au Musée seront gardés à part dans un des Placards, ou autre entrepôt, qui sera appelé la Bibliothèque du Musée, afin que les Curieux & autres qui le désirent, puissent les Regarder; mais que personne n'utilisera ni transcrira, en entier ou en partie, sauf sur autorisation ou désignation du Conservateur.

10. Que le Musée sera ouvert, & sous la charge du Conservateur ou de son Adjoint de la même manière, & aux mêmes heures, que l'est la Bibliothèque Bodley; et à d'autres moments, si une occasion particulière ou spéciale l'exige.

11. Que les Articles Rares ne seront montrés qu'à une Compagnie à la fois, & qu'à leur entrée dans le Musée, la porte sera fermée; et que s'il arrive une ou plusieurs autres Compagnies avant leur départ, on les priera de rester en bas, jusqu'à la sortie de l'autre.

12. Qu'aucune partie du Matériel du Musée, ni les Livres de la Bibliothèque ou des Placards, ne sera prêtée à une Personne ou des Personnes, ou emportée à l'étranger, pour quelque occasion, ou sous quelque prétention que ce soit, sauf pour être esquissée ou gravée, pour la conservation de sa mémoire, si elle est périssable. [...]

Elias Ashmole,
21 juin 1686,
traduction Marina Urquidi

Naissance d'un musée de province

En 1825, le peintre néo-classique François-Xavier Fabre fait don à la ville de Montpellier de toute sa collection. celle-ci forme le noyau du musée qui porte son nom et sera enrichi en 1868 de la collection d'Alfred Bruyas.

Monsieur le Maire,
Je possède en Italie un nombre assez considérable de tableaux anciens et modernes, de livres, estampes, dessins et autres objets d'art, dont je me propose de faire l'hommage à la commune de Montpellier, ma ville natale; ma bibliothèque particulière contient ce qui a été publié de plus important sur les arts, les monuments antiques, musées, galeries publiques et particulières, voyages pittoresques, etc.

En conséquence, j'offre à la commune de Montpellier la donation formelle de tous mes tableaux, livres, estampes, dessins et autres objets d'art, actuellement en ma possession, aux conditions suivantes, que je prends la liberté d'indiquer pour agir réciproquement, avec pleine connaissance de cause :

J'exige, pour première condition, que cette collection de tableaux, livres, estampes, dessins et autres objets d'art doivent appartenir à perpétuité à la commune de Montpellier, réunie dans un seul et même local, et qu'on ne puisse jamais en rien soustraire, sous aucun prétexte; je m'en réserve la jouissance entière pour tout le reste de mes jours. La commune de Montpellier choisira, d'accord avec moi, un local convenable pour réunir, sous le titre de Musée, tous les objets que je lui destine, et auxquels elle voudra bien ajouter ce qu'elle possède en ce genre. Ce Musée sera ouvert au public certains jours de la semaine, conformément aux règlement qui seront faits à cet égard et d'accord avec moi.

Souscription pour l'«Olympia» de Manet

Le 7 février 1890, après avoir mis plus de six mois à rassembler 20 000 francs auprès d'une centaine de souscripteurs pour acheter le chef-d'œuvre de Manet, Claude Monet écrit à Armand Fallières, ministre de l'Instruction.

Monsieur le Ministre,
Au nom d'un groupe de souscripteurs j'ai l'honneur d'offrir à l'état l'Olympia, d'Edouard Manet.

Nous sommes certains d'être ici les représentants et les interprètes d'un grand nombre d'artistes, d'écrivains et d'amateurs qui ont reconnu depuis longtemps déjà quelle place considérable doit tenir dans l'histoire du siècle le peintre prématurément enlevé à son art et à son pays.

Les discussions auxquelles les tableaux de Manet ont servi de sujets, les hostilités qu'ils eurent à subir sont maintenant apaisées. La guerre serait encore ouverte contre une telle individualité que nous n'en serions pas moins convaincus de l'importance de l'œuvre de Manet et de son triomphe définitif. Il nous suffirait de nous rappeler, pour ne citer que quelques noms, autrefois décriés et repoussés, et aujourd'hui célèbres, ce qui est advenu à des artistes comme Delacroix, Corot, Courbet, Millet, l'isolement de leurs débuts et leur incontestable gloire posthume. Mais, de l'aveu de la grande majorité de ceux qui s'intéressent à la peinture Française, le rôle d'Edouard Manet a été utile et décisif. Non seulement il a joué un grand rôle individuel, mais il a été, de plus, le

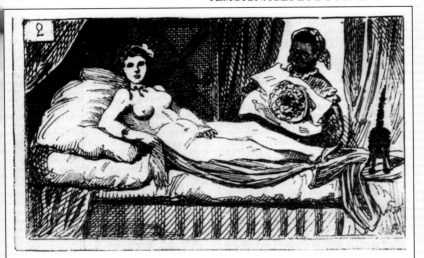

OLYMPIA.

— Madame...
— Qu'y a-t-il?
— Un messié qui li vouloi pali madame... pou zaffaire.
— Fais entrer.

(Il paraît que chez certaines *dames* c'est comme ça que ça se joue.)

représentant d'une grande et féconde évolution.

Il nous a donc paru impossible qu'une telle œuvre n'eût pas sa place dans nos collections nationales, que le maître n'eût pas ses entrées là où sont déjà admis les disciples. Nous avons, de plus, considéré avec inquiétude le mouvement incessant du marché artistique, la concurrence qui nous est faite par l'Amérique, le départ, facile à prévoir, pour un autre continent de tant d'œuvres qui sont la joie et la gloire de la France.

Nous avons voulu retenir une des toiles les plus caractéristiques d'Edouard Manet, celle où il apparaît en pleine lutte victorieuse, maître de sa vision et de son métier.

C'est l'Olympia que nous remettons entre vos mains, Monsieur le Ministre. Notre désir est de la voir prendre place au Louvre, à sa date, parmi les productions de l'école française. [...]

Le legs qui fit entrer les impressionnistes au musée

Peintre, et ami des impressionnistes, Gustave Caillebotte profite de son aisance financière pour acheter leurs toiles.
Il meurt en 1894, mais, dès 1876, il écrit son premier testament.

Je désire qu'il soit pris sur ma succession la somme nécessaire pour faire en 1878, dans les meilleures conditions possibles, l'exposition des peintres dits intransigeants ou impressionnistes.

Il est assez difficile d'évaluer aujourd'hui cette somme, elle peut s'élever à trente, quarante mille francs ou même plus. Les peintres qui figureront dans cette exposition sont : Degas, Monet, Pissarro, Renoir, Cézanne, Sisley, Mlle Morizot. Je nomme ceux-là sans exclure les autres.

Je donne à l'État les tableaux que je possède, seulement comme je veux que ce don soit accepté et le soit de telle façon que ces tableaux n'aillent ni dans un grenier ni dans un musée de province mais bien au Luxembourg et plus tard au Louvre, il est nécessaire qu'il s'écoule un certain temps avant l'exécution de cette clause jusqu'à ce que le public, je ne dis pas comprenne, mais admette cette peinture. Ce temps peut être de vingt ans ou plus ; en attendant mon frère Martial et à son défaut un autre de mes héritiers les conservera.

Je prie Renoir d'être mon exécuteur testamentaire et de bien vouloir accepter un tableau qu'il choisira ; mes héritiers insisteront pour qu'il en prenne un important.

Une maison d'artiste devenue musée

Extrait du testament du peintre Gustave Moreau (1897).

Je lègue ma maison sise 14 rue de La Rochefoucauld avec tout ce qu'elle contient, peintures, dessins, cartons, etc, travail de cinquante années, comme aussi ce que renferment, dans ladite maison, les anciens appartements occupés jadis par mon père et ma mère : à l'État ou à son défaut à la Ville de Paris ou à son défaut à l'École des Beaux-Arts ou à son défaut à l'Institut de France (Académie des Beaux-Arts) à cette condition expresse de garder toujours, ce serait mon vœu le plus cher, ou au moins aussi longtemps que possible, cette collection, en lui conservant ce caractère d'ensemble qui permette toujours de constater la somme de travail et d'efforts de l'artiste pendant sa vie.

Albert Barnes, philanthrope américain

Issu de milieu modeste et enrichi dans l'industrie pharmaceutique, le Dr Barnes crée en 1922 une fondation mettant sa collection d'art au service d'un projet éducatif et démocratique. Voici quelques articles de la charte fondatrice.

29. Pendant la durée de la vie du Donateur et de sa femme susmentionnée, la galerie d'art du Bénéficiaire ne sera pas ouverte au public plus de deux jours par semaine, à l'exception des mois de juillet, août et septembre chaque année, et uniquement sur présentation des cartes d'admission établies par ou sous la direction du Conseil d'Administration du Bénéficiaire. Pendant ladite période, les étudiants en arts seront admis par accord spécial sous des règlements qui seront définis par le Conseil d'Administration du Bénéficiaire. Le Donateur établit ces provisions et stipulations parce que ladite galerie d'art est créée en tant qu'expérience pédagogique sous les principes de la psychologie moderne telle qu'elle est appliquée à l'enseignement, et le désir du Donateur pendant la durée de sa vie, et de sa femme, est de perfectionner le projet afin qu'il opère en faveur de la diffusion des principes de la démocratie et de l'enseignement après le décès du Donateur et de sa femme.

30. Après le décès du Donateur et de sa femme susmentionnée, la galerie sera ouverte deux jours par semaine, à l'exception des mois de juillet, août et septembre de chaque année, aux étudiants et aux professeurs du

Pennsylvania Academy of the Fine Arts et institutions similaires pour l'étude des beaux arts. Trois jours par semaine (dont le dimanche), la galerie sera ouverte au public sous une réglementation qui pourra être établie par le Conseil d'Administration du Donateur. Le Conseil d'Administration aura la charge d'établir une réglementation telle que les gens simples, c'est-à-dire, les hommes et les femmes qui gagnent leur vie par un travail quotidien dans les ateliers, les usines, les écoles, les magasins et des endroits similaires, seront ceux qui auront un libre accès à la galerie d'art les jours où la galerie sera ouverte au public.

32. La transmission par le Donateur au Bénéficiaire de ladite propriété immobilière, ainsi que de l'arboretum situé en son sein, des bâtiments, installations et dépendances qui y sont situés ou qui y appartiennent, sera irrévocable. La fondation de la galerie d'art est une expérience en vue de déterminer le degré d'effet bénéfique pour le public de toute classe sociale pouvant être atteint par les moyens des modèles et des principes appris par le Donateur tout au long de sa vie par l'étude de la psychologie telle qu'elle est appliquée à l'enseignement et à l'esthétique. Si, à quelque période dans la durée de vie du Donateur, le Conseil d'Administration décide que l'expérience est un échec, le Conseil pourra, suite à une résolution selon les règles, disposer des tableaux, par don ou par un autre moyen, à tout individu, toute institution, tout musée, toute école ou université, déterminé par le Conseil d'Administration. Il peut cependant s'avérer à l'avenir qu'une ou plusieurs des fiducies, conditions et stipulations selon lesquelles le Bénéficiaire accepte et garde ce qui est défini dans ce Contrat et Accord sont inappropriées ou

impraticables et demandent à être modifiées. Ce qui est défini ne pourra être modifié que par un accord écrit entre le Donateur et le Bénéficiaire dans le respect des formes légales, mais ce droit de modifier ce qui est défini sans dénaturer les objectifs et les intentions présentés dans ce Contrat et Accord est réservé aux parties dans la manière spécifiée dans ce paragraphe.

33. L'objet de ce don est démocratique et pédagogique dans le sens profond de ces termes, et des privilèges particuliers sont interdits. Il est donc expressément stipulé par le Donateur qu'à aucun moment après le décès dudit Donateur, n'aura lieu en aucun bâtiment ou bâtiments, aucune réunion mondaine communément désignée par réception, thé, dîner, banquet, danse, récital de musique ou occasions semblables, que ces réunions soient organisées par des responsables, Administrateurs ou employés de la Barnes Foundation ou quelque autre personne que ce soit, ou que ces réunions soient privées ou publiques. Il est en outre stipulé que tout citoyen du Commonwealth de l'Etat de Pennsylvanie qui présentera devant les tribunaux une demande d'injonction fondée sur ce qu'un conseil légal de bonne réputation considère comme constituant une ou des preuves suffisante que la stipulation susmentionnée a été violée, aura tous ses frais de justice payés par la Barnes Foundation.

35. Nul peintre, sculpteur ou autre artiste de quelque description que ce soit ne sera jamais autorisé à utiliser aucun des bâtiments, ou du contenu des bâtiments, pour enseigner à des élèves qui paient ou qui ont un jour payé cet artiste, sculpteur, etc., pour recevoir des cours d'art ou toute autre forme d'enseignement.

traduction Marina Urquidi

Les sens de la visite

« Tout s'accordait à créer une impression solennelle [...], qui rappelait l'émotion avec laquelle on pénètre dans la Maison de Dieu; cette émotion s'approfondissait encore à la vue des chefs-d'œuvre exposés, véritables objets de vénération dans ce temple consacré au culte de l'art. »
A l'exemple de Goethe, bouleversé par la Galerie de Dresde en mars 1768, les impressions laissées par la visite au musée font partie de nombreux récits de formation, variant selon les tempéraments, les positions sociales et les sensibilités. A chaque fois se renouvelle le sens de la visite.

Un modeste visiteur

Norbert Truquin, prolétaire monté à Paris, a quinze ans lorsqu'il effectue ses premières visites, en 1848.

Depuis mon arrivée à Paris, je n'avais cessé de visiter les curiosités de la capitale. Le soir je me payais quelquefois le petit Lazari pour quinze centimes. Si j'ai pu visiter les principaux édifices, les musées et les jardins publics, je le dus à ma redingote, car on ne laissait pas entrer les gens en blouse; aussi beaucoup de jeunes gens vieillissaient sans connaître Paris.

Dans les musées, ce qui m'intéressait le plus, c'étaient les tableaux, j'essayais d'en deviner le sujet et j'ennuyais souvent les visiteurs des questions que je leur posais.

Quelques-uns affectaient de détourner la tête avec mépris; d'autres, au contraire, se prêtaient de bonne grâce à ma demande d'explications. C'est alors que je me mis à observer les hommes. Je remarquai que ceux qui portaient toute leur barbe et avaient le nez droit me refusaient rarement des renseignements; tandis que je ne pouvais rien obtenir de ceux dont le nez était épaté ou en forme de bec de perroquet.

Norbert Truquin,
Mémoires et aventures d'un prolétaire à travers la Révolution, 1848

Souvenir du musée des Monuments français

Charles Le Cœur, qui deviendra conservateur de musée, raconte en 1872 les impressions qu'il a ressenties, enfant, en visitant le musée d'Alexandre Lenoir.

Les enfants étaient admis dans ce vaste jardin servant de square au quartier. Ils étaient même autorisés en temps de pluie à se réfugier dans ces salles toutes peuplées des grands hommes qui ont illustré la France dans les siècles passés. Nous avions fait connaissance intime avec tous ces personnages de marbre, rois, guerriers, prélats, écrivains, poètes, artistes. A peine savions-nous lire et nous connaissions non seulement leurs traits, mais leur histoire. Nous la déchiffrions avec avidité dans ces notes intéressantes et anecdotiques que M. Lenoir avait jointes à l'énumération de son savant catalogue. Je n'ai jamais compris l'histoire enseignée d'une manière plus saisissante. Comme cela développait en nous le désir d'apprendre, comme c'était une bonne préparation à la lecture des Augustin Thierry, des de Barante et de cette pléiade d'historiens qui peu après devaient apporter la lumière sur ses parties restées obscures de notre histoire nationale.

Charles Le Cœur,
Considérations sur
les musées de province, 1872

L'apprentissage du musée

Charles Péguy raconte ses premières
visites empreintes d'un «émoi religieux»
qui, peu à peu, se dissipe.

A mesure que nous avancions dans la connaissance des œuvres, nous cessions de nous transporter au Louvre pour y arpenter des kilomètres. Mais selon nos besoins, nos peines et nos désirs d'hommes, cherchant et demandant l'encouragement ou la consolation, l'engourdissement ou la rénovation, l'achèvement ou le recommencement, cherchant l'impression du beau ou l'impression d'art, ou toute impression qu'il y avait lieu, nous allions voir certaines œuvres et nous n'allions pas voir certaines œuvres. Un commerce proprement et purement humain d'admiration pair, d'estime égale, d'intelligence, de compréhension, d'entente mutuelle, de reconnaissance non inégale, d'acquiescement éclairé, de consentement libéré, naissait de l'artiste à nous par la considération des œuvres. A mesure que nous avancions dans la connaissance des lignes et des couleurs les œuvres que nous avions globalement et confusément adorées se classaient et se déclassaient parmi nous, ou plutôt, car cette expression pourrait impliquer une intention de commandement, d'autorité, de priorité méritoire, les œuvres ne se classaient pas, mais elles se situaient parmi nous, elles se disposaient, se composaient, s'habituaient, choisissaient librement elles-mêmes la situation qui leur convenait parmi nos sentiments et nos occupations. Combien de désillusions accompagnaient ce détail involontaire et peu à peu voulu, et combien de pénibles éliminations! Le Louvre n'était plus un Olympe où il n'y avait que des dieux emplissant de rêves l'espace religieux, mais il redevenait pour nous ce que vous savez bien qu'il a toujours été, un musée, un monument humain où résidaient, accueillies et classées plus ou moins intelligemment par les conservateurs, emplissant les salles humaines et garnissant les murs humainement maçonnés, les productions, les essais d'œuvre et les œuvres de beaucoup d'artistes. A mesure que nous avancions ainsi disparaissait le cléricalisme d'art initial. A mesure naissait et croissait le libre examen. […]

A mesure que s'avançait l'apprentissage, l'espace nous devenait non plus religieux mais proprement artistique. Nous osions penser et sentir humainement devant les tableaux, et

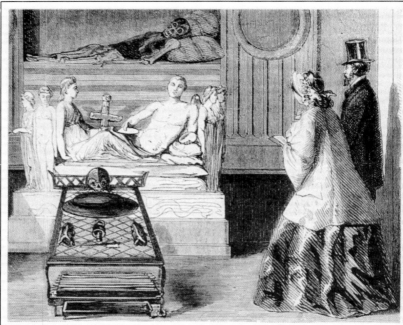

devant les statues des salles fraîches. A mesure que nous avancions, l'expression de chef-d'œuvre, avec ce qu'elle implique d'inclinaison capitale, nous devenait étrangère et comme inintelligible, cependant que le simple mot, le simple nom d'œuvre avançait au devant de nous avec la plénitude et sous l'aspect d'un sens nouveau. La considération de l'œuvre que l'on voit refoulait au dernier plan la contemplation du chef-d'œuvre que l'on adore. Et nos attentions ignoraient de plus en plus ce dernier plan. L'expression de maître, que l'on doit prononcer en bâillant et bêlant un peu, la bouche ovale et toutes les dents à l'air, disparaissait de nos entretiens.

Charles Péguy,
Réponse brève à Jaurès,
1900

Le problème des musées

La visite peut être aussi une source de malaise, dont Paul Valéry fait ici l'analyse.

Je n'aime pas trop les musées. Il y en a beaucoup d'admirables, il n'en est point de délicieux. Les idées de classement, de conservation et d'utilité publique, qui sont justes et claires, ont peu de rapport avec les délices.

Au premier pas que je fais vers les belles choses, une main m'enlève ma canne, un écrit me défend de fumer.

Déjà glacé par le geste autoritaire et le sentiment de la contrainte, je pénètre dans quelque salle de sculpture où règne une froide confusion. Un buste éblouissant apparaît entre les jambes d'un athlète de bronze. Le calme et les violences, les niaiseries, les sourires, les contractures, les équilibres les plus critiques me composent une impression insupportable. Je suis dans un tumulte de créatures congelées, dont chacune exige, sans l'obtenir, l'inexistence de toutes les autres. Et je ne parle pas du chaos de toutes ces grandeurs sans mesure commune, du mélange inexplicable des nains et des géants, ni même de ce raccourci de l'évolution que nous offre une telle assemblée d'êtres parfaits et d'inachevés, de mutilés et de restaurés, de monstres et de messieurs…

L'âme prête à toutes les peines, je m'avance dans la peinture. Devant moi se développe dans le silence un étrange désordre organisé. Je suis saisi d'une horreur sacrée. Mon pas se fait pieux. Ma voix change et s'établit un peu plus haute qu'à l'église, mais un peu moins forte qu'elle ne sonne dans l'ordinaire de la vie. Bientôt, je ne sais plus ce que je suis venu faire dans ces solitudes cirées, qui tiennent du temple et du salon, du cimetière et de l'école… Suis-je venu m'instruire, ou chercher mon enchantement, ou bien remplir un devoir et satisfaire aux convenances? Ou encore, ne serait-ce point un exercice d'espèce particulière que cette promenade bizarrement entravée par des beautés, et déviée à chaque instant par ces chefs-d'œuvre de droite et de gauche, entre lesquels il faut se conduire comme un ivrogne entre les comptoirs? […]

Comme le sens de la vue se trouve violenté par cet abus de l'espace que constitue une collection, ainsi l'intelligence n'est pas moins offensée par une étroite réunion d'œuvres importantes. Plus elles sont belles, plus elles sont des effets exceptionnels de l'ambition humaine, plus doivent-elles être distinctes. Elles sont des objets rares dont les auteurs auraient bien voulu qu'ils fussent uniques. *Ce tableau*, dit-on parfois,

TUE tous les autres autour de lui… […]

Je sors la tête rompue, les jambes chancelantes, de ce temple des plus nobles voluptés. L'extrême fatigue, parfois, s'accompagne d'une activité presque douloureuse de l'esprit. Le magnifique chaos du musée me suit et se combine au mouvement de la vivante rue.

Je perçois tout à coup une vague clarté. Une réponse s'essaye en moi, se détache peu à peu de mes impressions, et demande à se prononcer. Peinture et Sculpture, me dit le démon de l'Explication, ce sont des enfants abandonnés. Leur mère est morte, leur mère Architecture. Tant qu'elle vivait, elle leur donnait leur place, leur emploi, leurs contraintes. La liberté d'errer leur était refusée. Ils avaient leur espace, leur lumière bien définie, leurs sujets, leurs alliances… Tant qu'elle vivait, ils savaient ce qu'ils voulaient…

Paul Valéry, «Le Problème des musées», in *Pièces sur l'art*, 1923

Autre visiteur, autres émois…

De temps en temps ma mère nous menait au Louvre, nous traînant parfois dans les salles de sculpture. Elle ne savait pas ce qu'elle faisait. Elle ne pouvait se douter que je sortais de là dans une sorte d'ébriété sexuelle qui me faisait d'autant plus souffrir que j'ignorais la cause précise de cette torture. La nudité, la nudité criminelle, pourquoi était-il permis de la voir ainsi, exaltée, souveraine, juchée sur des socles et semblant nous fouler aux pieds? «Ce sont des œuvres d'art, expliquait Maman, des statues de faux dieux. Allons, venez. Ne restez pas là. Nous allons prendre le Passy-Hôtel de Ville pour rentrer […].»

Pourquoi mène-t-on les enfants aux musées?

Julien Green, *Partir avant le jour*, 1963

Gratuit ou payant ?

Jusqu'au début des années 1920, les musées nationaux français sont restés gratuitement accessibles. Pourtant, dès 1896, la commission du budget du Parlement avait envisagé d'instaurer un droit d'entrée. A l'été de la même année, la revue L'Artiste *invite ses lecteurs à lui adresser leurs opinions. Contradictoires, comme les arguments d'aujourd'hui, elles sont éternelles.*

Payant : Puvis de Chavanne, peintre

Je me déclare absolument partisan des entrées payantes dans les Musées, excepté le dimanche et les grandes fêtes. Cet impôt, qu'on rendrait léger, n'arrêterait ni les amateurs ni les simples curieux d'art, et suffirait à éloigner les vagabonds qui traitent les Musées en chauffoirs et en dortoirs.

De nombreuses cartes permanentes, accordées avec discernement, donneraient la gratuité à tous ceux que leurs études conduisent au Louvre ou au Luxembourg.

On aurait ainsi un fond précieux qui permettrait de faire face aux bonnes occasions.

Je ne vois aucune bonne raison à opposer à ce projet.

Payant : L. de Veyran

Je suis d'avis que l'on fasse payer une entrée de 50 centimes ou d'un franc, tous les jours de la semaine, excepté le dimanche, le jeudi et les jours de fête. On agit ainsi dans un grand nombre de Musées d'Europe. Non seulement on débarrassera, par ce moyen, nos galeries de gens suspects, mais on grossira la caisse des Musées de sommes importantes qui permettront de faire de meilleures acquisitions.

J'ajouterai que, lorsqu'une œuvre d'art de valeur a été acquise, je la placerais dans une salle spéciale, et je mettrais un tourniquet. Soyez persuadé qu'on ferait recette. Vous ne sauriez croire combien le public recherche ce qu'on lui fait payer, et méprise ce qu'on lui donne pour rien.

Je désirerais même qu'on organisât tous les ans une exposition payée des œuvres, tableaux, sculptures, etc., etc., acquises par l'Etat. Ce serait un excellent contrôle, en même temps qu'une recette assurée.

Gratuit : Philippe de Chennevières, ancien directeur des musées

J'étais d'un temps, mon ami, où il n'était d'autre question que de favoriser de notre mieux la liberté et la gratuité d'entrée du public dans les Musées aussi bien que dans les expositions. C'était même une affaire de tradition nationale. Jamais on n'avait songé, avant 1848, à exiger aucune rétribution des visiteurs de nos salons, encore moins des visiteurs de nos Musées nationaux. Le roi ou empereur, chef de l'Etat et organisateur de ces magnifiques spectacles dans ces palais, se réservait l'honneur d'en offrir gratuitement l'accès. Cela m'a toujours paru bizarre que le peuple, devenu souverain, se soit avisé de se frapper lui-même, à son détriment, d'un impôt de perception assez désagréable. [...]

Vous avez, dites-vous, besoin d'argent pour lutter dans les grandes ventes contre les Musées étrangers. Cherchez fortune ailleurs. Il se trouvera bien quelque conseilleur pour soumettre à la commission du Budget une nouvelle proposition autant et plus féconde. Pourquoi ne pas s'adresser aux artistes eux-mêmes? Tous n'ont-ils pas fait au Louvre leurs premières promenades d'enfance et leurs premières études d'écolier? N'est-ce pas le Louvre qui leur a appris à pénétrer dans le génie des maîtres et qui, peut-être, leur a révélé leur propre vocation? Pourquoi ne contribueraient-ils pas à enrichir ces Musées nationaux, où tous aspirent à entrer plus tard, et cela en cédant dès aujourd'hui, à la suite de chaque exposition, quelque morceau de leur main, prix de l'exhibition de leurs œuvres au public. Et ce serait l'occasion d'une belle vente à la fin de chaque Salon et dont nos Musées se trouveraient très richement rentés au bénéfice des amateurs de tous pays.

Gratuit : Eugène Carrière, peintre

Il est tout à fait extraordinaire d'avoir l'idée de faire payer la vue d'œuvres d'art à ceux qui ont déjà fourni l'argent pour les acquérir.

De plus, les Musées ne sont pas tellement visités qu'il faille se défendre contre la foule, et un droit d'entrée affirmera l'indifférence et l'éloignement naturel de ceux qui n'y sont pas portés par un intérêt direct.

La mesure serait antidémocratique, indigne d'un gouvernement dont le programme est instruction et éducation populaire. Les Musées doivent être ouverts comme les églises à tout venant; ils remplissent un rôle pareil. L'exemple de la Belgique et autres pays payants n'est pas fait pour entraîner. Et toujours j'ai été témoin de l'irritation produite par ces mesures qu'on demande pour la France. De même, pareillement, la révolte contre l'administration des églises, où les œuvres d'art qui devraient exciter la foi sont voilées et visibles pour les seuls visiteurs payants.

Il est aussi indigne de payer dans les Musées que dans les églises.

MUSÉUM D'HISTOIRE NATURELLE.

BILLET d'entrée, aux heures consacrées à l'étude,

les lundis, mercredis et samedis, depuis 11 heures jusqu'à 2 de l'après-midi pour les Galeries d'Histoire Naturelle, et jusqu'à 4 à l'égard de la Menagerie.

Lamarck

L'un des Professeurs-Administrateurs du Muséum.

Les enjeux de l'accrochage

Accrocher des tableaux, disposer des objets dans une salle d'exposition ne sont pas des opérations neutres. Le conservateur et l'architecte s'exposent à trahir leur conception de l'art et de son histoire, à privilégier certains visiteurs plutôt que d'autres, à conditionner les regards qui seront portés sur ce qu'ils exposent. Au point qu'on a pu dire, pour s'en féliciter ou s'en méfier, que le musée était aussi leur œuvre.

L a grande ascension circulaire du Guggenheim Museum, à New York.

Trois artistes, à des époques différentes, s'irritent de l'épuration et de la sélection qu'opèrent les conservateurs et regrettent les accrochages encyclopédiques.

Delacroix

Je n'ai pas besoin de constater la peine qu'ont éprouvée tous les artistes à la nouvelle des remaniements qu'on s'est proposé de faire subir au musée Napoléon III. Cette collection, célèbre dans l'Europe entière, avait été pour nous tous, dès son apparition, un sujet d'admiration [...]. Il m'avait semblé, en particulier, qu'une grande partie de l'intérêt que présentait cette réunion d'objets admirables résultait de cette réunion même, et que la pensée de la réduire sous prétexte d'en éloigner les pièces secondaires, était tout à fait contraire à l'intention évidente de son fondateur, et à la destination d'un véritable musée [...]. Une collection offerte à l'étude doit se composer non seulement de beaux objets, mais encore de tous ceux qui, dans un ordre de mérite moins élevé, permettent toutefois de suivre et de juger les tâtonnements à travers lesquels l'art est arrivé à sa perfection. Rien ne saurait être plus instructif.

Lettre à M. Beulé, 28 septembre 1862

Marc Chagall

Je n'aime pas beaucoup le chambardement du Louvre. On ne le reconnaît plus. J'aimais ces tableaux qui grimpaient en rangs serrés jusqu'aux plinthes. Tout était en hauteur, intime. Maintenant, la tendance est de mettre un seul tableau sur un mur. On m'impose ce qu'il faut voir, on souligne. Le tableau isolé, mis en valeur, me dit : respecte-moi. J'aime chercher, trouver.

in Pierre Schneider, *Les dialogues du Louvre*, Adam Biro, 1991

Sam Francis

Les musées devraient ressembler à la rue. Ils devraient être ouverts tout le temps. Pas de mystique, pas de mise en valeur. Rien qui proclame : ceci est un chef-d'œuvre. Les choses sont là, c'est tout. Un lieu vaste où sont les choses, où on peut les remarquer ou non – voilà mon genre de musée.

Idem

La polémique du Guggenheim Museum, à New York

Dans une lettre de 1949, l'architecte Frank Lloyd Wright expose ses intentions.

Doucement inclinés, orientés légèrement vers le haut pour le regard et vers la lumière, accordés au mouvement incurvé et ascendant de la spirale, les tableaux sont mis en valeur pour eux-mêmes et ne sont pas accrochés de façon conventionnelle, mais se soumettent gracieusement au mouvement engendré par ces murs massifs légèrement courbes. Dans cette grande ascension circulaire, le tableau est perçu encadré comme un élément de l'architecture. Le caractère du bâtiment lui-même en tant qu'architecture équivaut à un «encadrement». La surface plane du tableau ainsi détachée par la courbe du mur s'offre à la vue à la manière d'un joyau monté comme un sceau sur une chevalière. Précieuse, en elle-même. La peinture a rarement été présentée autrement que dans les salles incongrues de la vieille architecture statique. Ici, dans le calme harmonieux et fluide créé par l'intérieur du bâtiment, on verra la nouvelle peinture pour elle-même dans des conditions favorables.

En 1956, vingt et un artistes new-yorkais dénoncent le projet qui ne se mettrait pas au service des œuvres.

Le groupe d'artistes soussignés a remarqué que le Guggenheim Museum va entreprendre la construction d'un nouveau bâtiment qui a été conçue par Frank Lloyd Wright.

Le dessin et la description de son plan parus dans les journaux new-yorkais et dans d'autres publications mettent en évidence le fait que la conception intérieure du bâtiment n'autorise pas une présentation harmonieuse de tableaux et de sculptures.

Le concept de base d'une pente curvilinéaire pour la présentation de tableaux et de sculptures témoigne d'un froid dédain pour le fondamental cadre de référence rectiligne nécessaire à la contemplation visuelle adéquate aux œuvres d'art.

Nous demandons instamment aux Trustees du Guggenheim de reconsidérer les plans du nouveau bâtiment.

La réponse de l'architecte est sèche et sans appel.

J'affirme en mon nom que l'exposition d'une peinture ne requiert aucun «cadre de référence rectiligne» quel qu'il soit, sinon celui rendu nécessaire par le froid dédain de la nature, qui n'est que trop commun dans votre art. Je suis suffisamment familier avec le cauchemar d'habitudes qui, à moins qu'il ne lui convienne, ronge votre esprit, pour parfaitement comprendre que vous tous, conservateur inclus, savez trop peu de choses de la nature de la mère des arts : l'architecture. Le temps démontrera la sagesse du legs de M. Guggenheim et le fait que l'idée de faire quelque chose d'important dans une libre démocratie comme la nôtre peut être en accord avec la nature.

Frank Lloyd Wright
in *Cahiers du M.N.A.M.* n° 39, 1992

Vues d'artistes

Autant pour la tradition académique le musée des «maîtres anciens» est un lieu de révérence où s'apprend le métier, autant les artistes qui se réclament de la modernité ont des sentiments mêlés. Cézanne avait déclaré : «Pissaro disait qu'il fallait brûler le Louvre; il avait raison, mais il ne faut pas le faire.» D'autres, plus radicaux, rejoignent le camp des incendiaires, ou celui de Dubuffet, pour qui «le mieux est de ne rien conserver du tout».

MUSÉES ROYAUX
DU LOUVRE ET DU LUXEMBOURG.
•—•⟶◉⟵•—•
CARTE D'ENTRÉE, LES JOURS D'ÉTUDE,
POUR UN ARTISTE.
Délivrée à M.⁻ *Baudelaire*

le *1*ᵉʳ *Mai* 1821

Jean-Auguste-Dominique Ingres (1780-1867)

Il faut copier la nature toujours et apprendre à la bien voir. [...] Croyez-vous que je vous envoie au Louvre pour y trouver ce qu'on est convenu d'appeler «le beau idéal», quelque chose d'autre que ce qui est dans la nature? Ce sont de pareilles sottises qui, aux mauvaises époques, ont amené la décadence de l'art. Je vous envoie là parce que vous apprendrez des antiques à voir la nature, parce qu'ils sont eux-mêmes la nature : aussi il faut vivre d'eux, il faut en manger...

Cité par Henri Delaborde in *Ingres*

Paul Cézanne (1839-1906)

Le Louvre est le livre où nous apprenons à lire. Nous ne devons cependant pas nous contenter de retenir les belles formules de nos illustres devanciers. Sortons-en pour étudier la belle nature, tâchons d'en dégager l'esprit, cherchons à nous exprimer suivant notre tempérament personnel. Le temps et la réflexion d'ailleurs modifient peu à peu la vision, et enfin la compréhension nous vient.

Lettre à Emile Bernard, 1905

Henri Matisse (1869-1954)

Nous faisions des copies au Louvre, tant pour étudier les maîtres et vivre avec eux que parce que le Gouvernement achetait des copies. Cependant celles-ci devaient être exécutées avec une exactitude minutieuse, fidèle à la lettre et non à l'esprit de l'œuvre. C'est ainsi que les travaux qui obtenaient le plus de succès devant la commission d'achat étaient ceux qu'exécutaient les mères, les épouses et les filles des gardiens du musée. On n'acceptait nos copies que par charité, ou quelquefois quand Roger Marx plaidait notre cause. J'aurais aimé faire des copies littérales comme les mères, les épouses et les filles des gardiens, mais j'en étais incapable.

H. Matisse, «Le Métier de peindre», in *Ecrits et propos sur l'Art*, 1972

Marcel Duchamp (1887-1968)

Je n'ai pas été au Louvre depuis vingt ans. Cela ne m'intéresse pas à cause de ce doute que j'ai sur la valeur des jugements qui ont décidé que tous ces tableaux seraient présents au Louvre au lieu d'en mettre d'autres dont il n'a jamais été question et qui auraient pu y être. Au fond, on se satisfait très bien de cette opinion qu'il existe une sorte d'engouement passager, une mode basée sur un goût momentané; ce goût momentané disparaît et malgré tout certaines choses durent encore. Cela ne s'explique pas très bien et cela ne se défend pas forcément non plus.

Cité par P. Cabanne, in *Entretien avec Marcel Duchamp*, 1967

Joan Miró (1893-1983)

J'y allais tous les jours, je voulais voir toute la peinture. Quand je suis arrivé, j'étais désaxé, paralysé. Pendant trois ou quatre mois, je n'ai pas été capable de peindre. Mes compagnons se sont mis à travailler, tout naturellement. Moi, au fond, j'étais content de mon incapacité; elle prouvait que j'avais reçu une secousse. Plus tard, à l'époque où je faisais le portrait de Mrs. Mills, je venais tous les après-midi. Ça m'aidait, par choc ou par opposition. Ce qui m'impressionnait surtout, c'était ces intérieurs hollandais où il y avait un tout petit point – tac! comme un œil de

mouche. Pour moi, c'était la chose capitale. C'était plus que de la minutie, c'était le point aigu dans une toile assez grande… aigu, lumineux – un œil de microbe.

J'étais aussi attiré par la force. Rembrandt, le choc de la puissance. Ensuite, j'y allais par périodes. Quand je me lançais dans une aventure, je venais voir les classiques. Mais je n'ai jamais copié quoi que ce soit, sauf à Barcelone, quand j'avais quatorze ans, et alors c'était Urgell. Maintenant que j'ai trouvé un équilibre, je viens moins au Louvre.

in Pierre Schneider, *Les Dialogues du Louvre*, Adam Biro, 1991

Jean Dubuffet (1901-1985)

Les musées ne sont pas autre chose, si l'on veut bien y penser, que les temples où l'on célèbre le culte de la Joconde, de Raphaël, des Glaneuses et du Radeau de la Méduse. On y va comme au cimetière, le dimanche après-midi en famille, sur la pointe des pieds, en parlant à voix basse.

J. Dubuffet, *Prospectus…*, 1967

Pourquoi des musées, au fond ?

Il existe, aujourd'hui, des «musées de site», où une culture est conservée sur les lieux qui l'ont vue naître. Le problème n'est pas simplement muséographique ni géographique, il est à la racine de l'institution : la plupart des musées sont nés d'un transfert d'objets qui changent de statut en même temps qu'on les déplace. Au nom de cette offense faite aux œuvres, Quatremère de Quincy avait porté, en 1815, une critique radicale du musée dans ses Considérations morales sur la destination des ouvrages de l'art. *Marcel Proust lui donne la réplique dans* A la recherche du temps perdu *(A l'ombre des jeunes filles en fleurs).*

Quatremère de Quincy

Les beaux ouvrages de l'Art, ceux qui furent produits par le sentiment profond de leur accord avec leur destination, sont ceux qui perdent le plus à être condamnés au rôle inactif qui les attend dans les cabinets. [...]

Ce n'est que par hypothèse, ou par fiction, ou par le moyen d'une froide réminiscence, qu'il est possible d'éprouver, au milieu des collections d'ouvrages d'Art, l'effet moral de ces impressions heureuses qui, s'identifiant avec celles de la nature, font disparaître la main de l'Art sous le charme d'une illusion sentimentale. Tout ici, au contraire, vous parle de l'Art et de ses ressorts, des secrets de la science, des moyens de l'étude; tout ici vous tient en garde contre la séduction. La curiosité et la critique sont là pour empêcher les émotions d'arriver jusqu'à l'âme ou d'y pénétrer. [...]

Aux yeux du vrai philosophe, les Arts sont les historiens populaires d'un grand nombre de faits, d'opinions, de traditions, qui composent l'essence morale des nations. L'influence des monuments sur l'esprit, sur la mémoire, sur l'entendement, procède souvent moins de leur perfection même, que de leur ancienneté, que de l'authenticité de leur emploi, que de leur publicité. Ces livres originaux, toujours ouverts à la curiosité publique, portent leur instruction au-dehors, et la communiquent sans réserve au sentiment qui les consulte sans effort.

C'est donc détruire ce genre d'instruction, que d'en soustraire les éléments au public, que d'en décomposer les parties, comme on n'a cessé de le faire depuis vingt-cinq ans, que d'en recueillir les débris dans ces dépôts appelés *Conservatoires*.

Par quel étrange contresens appellerait-on de ce nom les réceptacles de ruines factices qu'on ne semble vouloir dérober à l'action du temps que pour les livrer à l'oubli? Cessez, sophistes ignorants, de trouver du plaisir dans ces ruines; oui, celles du temps sont respectables, celles de la barbarie font horreur. Les ruines du temps, ces monuments de la fragilité humaine, sont la leçon de l'homme, les autres en sont la honte. Cessez surtout de nous vanter l'ordre et l'arrangement qui règnent dans ces ateliers de démolition. A quelle triste destinée condamnez-vous les Arts, si leurs produits ne doivent plus se lier à aucun des besoins de la société, si des systèmes prétendus philosophiques leur ferment toutes les carrières de l'imagination, les privent de tous ces emplois que leur préparaient les croyances religieuses, les douces affections sociales, les consolants prestiges de la vanité humaine!

Ne nous dites plus que les ouvrages de l'Art se conservent dans ces dépôts. Oui, vous y avez transporté la matière; mais avez-vous pu transporter avec eux ce cortège de sensations tendres, profondes, mélancoliques, sublimes ou touchantes, qui les environnait. Avez-vous pu transférer dans vos magasins cet ensemble d'idées et de rapports qui répandait un si vif intérêt sur les œuvres du ciseau ou du pinceau? Tous ces objets ont perdu leur effet en perdant leur motif.

Le mérite du plus grand nombre tenait aux croyances qui leur avaient donné l'être, aux idées avec lesquelles ils étaient en rapport, aux accessoires qui les expliquaient, à la liaison des pensées, qui leur donnait de l'ensemble. Maintenant, qui fera connaître à notre esprit ce que signifient ces statues, dont les attitudes n'ont plus d'objet, dont les expressions ne sont plus que des grimaces, dont les accessoires sont devenus des énigmes? Quel effet produit actuellement sur notre âme le marbre désenchanté de cette femme feignant de pleurer sur l'urne vide, qui n'est plus l'entretien de sa douleur? Que me disent toutes ces effigies qui n'ont plus conservé que leur matière? Que me disent ces mausolées sans sépulcre, ces cénotaphes doublement vides, ces tombeaux que la mort n'anime plus?

Déplacer tous les monuments, en recueillir ainsi les fragments décomposés, en classer méthodiquement les débris, en faire d'une telle réunion un cours pratique de chronologie moderne; c'est pour une raison existante, se constituer en état de nation morte; c'est de son vivant assister à ses funérailles; c'est tuer l'art pour en faire l'histoire; ce n'est point en faire l'histoire, mais l'épitaphe.

Marcel Proust

[...] En tout genre, notre temps a la manie de vouloir ne montrer les choses qu'avec ce qui les entoure dans la réalité, et par là de supprimer l'essentiel, l'acte de l'esprit qui les isola d'elle. On «présente» un tableau au milieu de meubles, de bibelots, de tentures de la même époque, fade décor qu'excelle à composer dans les hôtels d'aujourd'hui la maîtresse de maison la plus ignorante la veille, passant maintenant ses journées dans les archives et les bibliothèques, et au milieu duquel le chef-d'œuvre qu'on regarde tout en dînant ne nous donne pas la même enivrante joie qu'on ne doit lui demander que dans une salle de musée, laquelle symbolise bien mieux, par sa nudité et son dépouillement de toutes particularités, les espaces intérieurs où l'artiste s'est abstrait pour créer.

La multiplication des musées : foisonnement prometteur ou prolifération mortelle?

Depuis les années 1970, on semble faire musée de tout. On peut voir.là, comme Madeleine Reberioux, un renouvellement de l'institution, qui surmonte le culte fétichiste des Beaux-Arts, ouvre de nouveaux domaines au regard et à la réflexion, s'empare en particulier du vaste champ de l'histoire et de la société. On peut aussi s'interroger avec Emmanuel de Roux sur les détournements dont le musée pourrait être victime, et sur notre propension à conserver… l'objet quelconque.

Muséomanie et muséofolie

Grands et petits, généralistes ou spécialisés, les musées sont aujourd'hui près de deux mille en France. Et leur nombre va s'accroissant. Ils s'intéressent à tous les domaines, de la peinture aux chaussures, de la boulangerie à l'orfèvrerie. Les visiteurs sont de plus en plus nombreux. Deviendront-ils à leur tour gibiers de musée? […]

A Saint-Etienne, Bordeaux, Nantes ou Marseille, on construit ou on rénove des bâtiments voués aux arts. Toute gare désaffectée, toute halle abandonnée, toute usine laissée pour compte, risque, avec un peu de chance, de terminer ses jours garnie de cimaises jusqu'au toit. Une nouvelle profession prospère : celle d'aménageur de musée. Avec un bel avenir devant elle, puisque tout semble prendre un jour ou l'autre la direction du musée.

Tout, y compris les plus humbles productions de la vie courante. deux musées – à Bonnieux et à Charenton – sont exclusivement consacrés à la célébration du pain; vingt-quatre le sont à celle du vin, six au tabac, huit au fromage et trois à la pierre à fusil. Il y avait 500 000 papillons étiquetés au musée de Saint-Quentin. Cela n'a pas empêché qu'un «papillorama» s'ouvre à Nice en 1982 et que, la même année, on construise à Villers-le-Bois, dans les Deux-Sèvres, un autre centre voué aux mêmes insectes. […] Le Mont-Valérien recèle un musée colombophile où figure la dépouille héroïque d'un pigeon voyageur abattu au dessus de Verdun, en 1916. Les voies de chemin de fer désaffectées se reconvertissent volontiers en conservatoire de la machine à vapeur, comme à Pithiviers. […]

Mais ce sont surtout les friches industrielles et les bâtiments agricoles désertés qui sont, aujourd'hui, des gibiers de choix pour les musées new-look. C'est dans ces lieux sinistrés par la crise ou qui n'ont pas su se reconvertir à temps que fleurissent les «écomusées», ces conservatoires où l'on vient respirer avec nostalgie l'odeur d'un passé parfois très récent. Ici, un moulin avec son système hydraulique en état de marche ou une ferme avec son mobilier et ses instruments aratoires. Là, une ancienne mine, une usine ou une cité ouvrière.[...]

Comment expliquer cette «muséofolie» qui s'est emparée de la France comme de la plupart des pays occidentaux? [...] Le développement du tourisme est sans doute la cause la plus immédiate. [...]

Mais cette exhumation n'aurait pu s'opérer sans la diffusion d'une sociologie confuse qui tend à attribuer à tout objet une valeur de «symptôme». Tout est riche d'enseignement : le peigne à carder comme les œuvres de tel petit maître local, le tour du potier comme la poignée d'assignats. [...]

Mais le succès de ces lieux de pèlerinage est à la mesure d'une mémoire en déroute : la nôtre. Comment retenir le fil du temps quand deux générations cohabitent à peine sous le même toit, quand les objets de notre vie quotidienne se démodent si vite et que les greniers ont disparu de nos demeures? Pour soigner cette amnésie, nous fréquentons le brocanteur chez qui on achète, à prix d'or, un grille-pain des années 50, celui de nos parents. Il n'est pas mauvais aussi d'aller faire un tour au musée local entre deux haltes gastronomiques. Les deux démarches ont la même finalité : colmater les trous d'une mémoire qui fait de plus en plus défaut.

Emmanuel de Roux,
Le Monde, 14-01-1988

Le musée : «service culturel»

Le XXe siècle n'a pas été favorable aux musées. Repliés longtemps sur les seuls Beaux-Arts – une évolution qui a commencé à la veille de la Grande Guerre et qui n'a été brisée que depuis une vingtaine d'années – ils sont devenus lieux de délices pour les élites et sanctuaires patrimoniaux. La civilisation industrielle a en outre joué contre eux : on dispose aujourd'hui d'excellentes reproductions, et l'apprentissage de l'art peut en somme se passer de ces institutions consacrées au passé : l'école en a-t-elle vraiment besoin? Question d'autant plus opportune que l'incertitude générale du monde affaiblit le sens du patrimoine : à quoi bon le passé si le civisme n'a ni présent ni avenir?

Et pourtant les musées aujourd'hui sont là. Trois mille dit-on et, parmi eux, cinq cents où fonctionnent des services culturels. A ce foisonnement correspond aussi un retour accentué à la diversité. Le privilège des Beaux-Arts, en quelques années, s'est aboli.

On trouve des musées de tout : les forges et le fromage, la Bible et les Arméniens... Plus de modèle suprême. Les services culturels se sont multipliés à la mesure de cette abondance, portés par un espoir : sans cesser de produire du plaisir, le musée peut enseigner. Mieux : le plaisir s'élève quand s'accroît la connaissance. Il serait étrange que ces outils nouveaux suscitent la désespérance, et que n'en sorte pas de quoi deviner, sinon tracer les lignes du musée de demain : non pas seulement la figure de l'agrément, mais celle de l'utilité et, qui sait? du civisme.

Madeleine Reberioux,
«Le Musée, lieu d'apprentissage»,
in *Le Futur antérieur des musées*,
Ed. du Renard, 1991

Le Grand Louvre ou le génie du lieu

C'est dans un ouvrage paru en 1989, Les Grands Desseins du Louvre (Hermann), *que le directeur du musée, Michel Laclotte, expose les grandes lignes du projet muséographique qui doit faire du Louvre, en 1993, le plus grand musée du monde.*

Les taureaux de Khorsabad en cours d'installation (ci-dessous) et les nouveaux espaces souterrains du Carrousel (à droite).

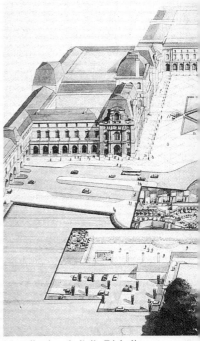

L'attribution de l'aile Richelieu au Musée et le transfert de nombreux services sous la cour Napoléon vont permettre – doit-on le redire, puisque c'est la raison d'être de tout le projet du «Grand Louvre»? – une augmentation considérable des espaces disponibles pour présenter les collections au public. Ainsi chaque département pourra-t-il enfin se déployer, en proposant des séquences moins compactes, plus logiquement distribuées et par conséquent des parcours plus faciles à suivre. On doit se demander, dans ces conditions, s'il serait possible et souhaitable de coordonner ces parcours, voire de les fondre en un circuit unique, autrement dit si l'on pourrait imaginer

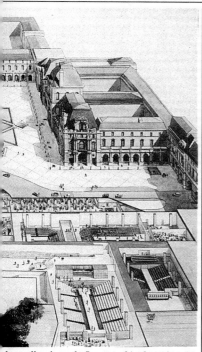

les collections du Louvre développées dans un espace linéaire et continu, illustrant comme un livre l'évolution de l'histoire de l'art, de Sumer au milieu du dix-neuvième siècle. La réponse à cette question ne saurait être, nous semble-t-il, que négative et cela pour deux raisons. La première tient au fait que, malgré ses inconvénients de toutes sortes, le regroupement des collections en départements (par zones géographiques et culturelles pour l'Antiquité et l'Islam, par techniques pour l'Occident médiéval et moderne) demeure finalement le meilleur et qu'il interdit bien évidemment, puisque les programmes chronologiques des départements sont parallèles, toute fusion synchronique.

La seconde raison, plus forte encore, est que le Louvre n'est pas et ne peut être un musée construit ex nihilo et permettant des démonstrations impeccablement didactiques. Tout plan de distribution des œuvres y est soumis à l'existence de galeries, de cours, de salons décorés, d'escaliers, ancrés dans l'histoire des lieux et qui, partout, imposent des contraintes techniques et esthétiques. Faut-il le déplorer? Certainement pas, bien au contraire. [...]

L'un des défis les plus enthousiasmants proposés aux conservateurs et aux architectes est donc d'élaborer et de mettre en œuvre un programme de répartition des collections à travers l'immense bâtisse qui intègre, à côté des nouveaux espaces remodelés, les lieux anciens et originaux du palais et des bâtiments construits au dix-neuvième siècle, et cela de telle sorte qu'un accord soit conclu entre contenant et contenu. C'est difficile, extraordinairement stimulant pour l'imagination et le savoir-faire des uns et des autres, et le résultat final fera du Louvre un musée, à proprement parler, incomparable. Mais, prévoyons-le, le «génie du lieu» ne sera pas toujours accommodant! En cas de conflit entre la logique absolue d'un parcours et les meilleures conditions de mise en valeur des œuvres, ce sont bien entendu ces dernières qui devront être privilégiées. [...]

Certains diront, devant l'immensité du Louvre, qu'ils préfèrent visiter de petits musées comme la collection Frick à New York. Bien sûr. Mais pourquoi comparer ce qui ne peut l'être? On a le droit de goûter, sans les opposer, une nouvelle de Mérimée et *La Recherche du temps perdu*, d'aimer lire en une heure la première et se perdre dans la seconde. A nous de faire qu'au Louvre aussi, on aime se perdre, et se retrouver.

BIBLIOGRAPHIE

Ouvrages généraux

• G. Bazin, *Le Temps des musées*, Liège-Bruxelles, Desoer, 1967.
• K. Hudson, *A Social History of Museums*, London, Macmillan, 1975.
• N. Pevsner, *A History of Building Types*, Oxford, Phaidon Press, 1976.

Chapitre I

• F. Haskell, N. Penny, *Pour l'amour de l'antique*, Hachette, 1988.
• O. Impey, A. MacGregor (dir.), *The Origins of Museums*, Oxford, University Press, 1985.
• K. Pomian, *Collectionneurs, amateurs et curieux, Paris-Venise : XVIᵉ-XVIIIᵉ siècle*, Gallimard, 1987.
• A. Schnapper, Collections et collectionneurs dans la France du XVIIᵉ siècle : tome 1 (1988), *Le Géant, la Licorne et la Tulipe*; tome 2 (1994), *Curieux du Grand Siècle*, Flammarion.

Chapitre II

• A. MacGregor (dir.), *Tradescant's Rarities, Essays on the Foundation of the Ashmolean Museum*, Oxford, Clarendon Press, 1983.
• E. Pommier, *Naissance des musées de province*, coll. «Les Lieux de Mémoire» (dir. P .Nora), tome II, vol. 2, Gallimard, 1986.
• E. Pommier (dir.), *Les Musées en Europe à la veille de l'ouverture du Louvre* (à paraître).
• R. Taton (dir.), *Enseignement et diffusion des sciences au XVIIIᵉ siècle*, Hermann, 1986.

Chapitre III

• P. Bordes, R. Michel (dir.), *Aux armes et aux arts!*, Les Arts et la Révolution, 1789-1799, A. Biro, 1988.
• B. Deloche, J.-M. Leniaud, *La Culture des sans-culottes* : le premier dossier du patrimoine, 1789-1799, Presses du Languedoc, 1989.
• E. Pommier, *L'Art de la liberté*, doctrines et débats de la Révolution française, Gallimard, 1991.
• D. Poulot, *Alexandre Lenoir et les musées des Monuments français*, coll. «Les Lieux de Mémoire», tome II, vol.2, Gallimard, 1986.

Chapitres IV et V

• Y. Brunhammer, *Le Beau dans l'Utile*, Gallimard, coll. «Découvertes», 1992.
• N. Dias, *Le Musée d'ethnographie du Trocadero (1878-1908)*, anthropologie et muséologie en France, Editions du CNRS, 1991.

• Th. W. Gaehtgens, *Le Musée historique de Versailles*, coll. «Les Lieux de Mémoire», tome II, vol. 3, Gallimard, 1986.
• J. Galard, *Visiteurs du Louvre, un florilège*, Réunion des Musées nationaux (RMN), 1993.
• Ch. Georgel (dir.), *La Jeunesse des musées*, Les musées de France au XIXᵉ siècle, RMN, 1994.
• M. Laclotte (dir.), *Histoire du musée du Louvre*, RMN, 1994.
• K. Omoto, F. Macouin, *Quand le Japon s'ouvrit au monde*, Gallimard, coll. «Découvertes», 1990.
• V. Plageman, *Das Deutsche Kunstmuseum, 1790-1870*, Prestel Verlag.
• D. Poulot, «L'Invention de la bonne volonté culturelle» : l'image du musée au XIXᵉ siècle, *Le Mouvement social*, n°131, avril-juin 1985.
• G. Waterfield (dir.), *Palaces of Art, Art Galleries in Britain 1790-1990*, Dulwich Gallery, 1991.
• *Musée national d'art moderne, historique et mode d'emploi*, Centre G.-Pompidou, 1986.

Débats contemporains

• P. Bourdieu, A. Darbel, *L'Amour de l'Art*, les musées européens et leur public, Minuit, 1985.
• J. Clair, *Paradoxe sur le conservateur*, L'Echoppe, 1988.
• F. Dagognet, *Le Musée sans fin*, Seyssel, Champ-Vallon, 1993.
• J. Davallon, *Claquemurer, pour ainsi dire, tout l'univers*, Centre G.-Pompidou, 1986.
• A. Desvallées (ed.), *Vagues : une anthologie de la nouvelle muséologie*, MNES, 1992.
• J.-L. Déotte, *Le Musée, l'origine de l'esthétique*, L'Harmattan, 1993.
• B. Deloche, *Museologica*, Vrin, 1989.
• *L'Œuvre et son accrochage*, Cahiers du Musée national d'art moderne, n° 17-18, 1986.
• *L'Art contemporain et le musée*, Cahiers du Musée national d'art moderne (hors-série), 1989.
• *Quels musées, pour quelles fins, aujourd'hui*? Séminaire de l'école du Louvre, La Documentation française, 1983.
• *La Muséologie selon G.-H. Rivière*, Dunod, 1989.
• *Musée : temple et forum*, Revue Architecture Intérieure Créée, n° 246, janvier-février 1992.
• *Musées et économie*, Direction des musées de France, 1992.
• Revue *Publics et Musées*, Presses universitaires de Lyon.

TABLE DES ILLUSTRATIONS

INDEX

CRÉDITS PHOTOGRAPHIQUES

Artothek, Peissenberg 4-5, 21g. Ashomolean Museum, Oxford 32g, 33, 114. Bibliothèques des Arts décoratifs, Paris 86h, 102g. Bibliothèque centrale du Muséum national d'histoire naturelle, Paris 41b, 59, 61b, 124. Bibliothèque nationale, Paris, département des estampes 11, 13, 15b, 16, 17, 18, 19, 20, 23m-b, 26, 27, 28, 29b, 34, 35, 37, 40h, 42, 43, 44, 45, 47d, 48, 49, 51, 53h, 54, 55, 56, 57, 58, 60, 61h, 62, 68, 69, 71, 72d, 74, 75, 76, 77, 78, 79, 80, 81, 83h, 85, 87, 89, 90, 94, 95, 96, 103h, 113, 120, 122, 125, 129. Bibliothèque nationale, Paris, département des imprimés 21d, 32d. Bridgeman-Giraudon, Paris 1. Dagli Orti, Paris 2-3, 84h. Ecole nationale supérieure des beaux-arts, Paris 64-65. Edimedia, Paris 10, 14, 111h. Explorer, Paris 12h, 36, 41h, 126. Explorer/Le Toquin 106h. Explorer/T. Franceschi 109b. Explorer/Kord 109h. Explorer/P. Tetral 107h. Gamma, Paris/J. Chisson 111b. © Grand Louvre 135. Hamburger Kunsthalle 30. Harlingue-Viollet, Paris 101, 106-107b. © W. Krase, Francfort 98. Lauros-Giraudon, Paris 1re de couv, .15h, 29h, 47g. Magnum, Paris/Marc Riboud 109d.Mary Evans-Explorer, Paris 91, 92, 93. © Michel Chassat/Musée du Louvre 134. Musée des Beaux-Arts de Reims 50. Musée d'Orsay, Paris 110. Musée de la Ville de Paris, © by SPADEM 1993 52-53b, 63, 82. © R. Poirot 108. Roger-Viollet, Paris 100, 103b, 117. Roncaglia foto, Modène 24-25. Réunion des Musées Nationaux, Paris Dos, 38, 39, 66-67, 70, 72g, 73, 84b, 88. Staatsgalerie Stuttgart 6-7. Top, Paris/R. Mazin 99. © Travaux muséographiques musée du Louvre/M. Chassat 112. DR 4e de couv., 31, 97, 104, 105, 128.

REMERCIEMENTS

L'auteur remercie C. Barbillon, J. Bolloch, J.-F. Chougnet, J. Galard, C. Georgel, H. Pinet, K. Pomian, N. Savy pour leurs précieux concours; ainsi que E. Blanchegorge à Compiègne, E. Edwards à Oxford, D. Farr et N. MacGregor à Londres, A. Pasquier à Beaufort-en-Vallée et M. Pinette à Besançon. L'éditeur remercie Michel Laclotte de son aimable collaboration.

COLLABORATEURS EXTÉRIEURS

La maquette de cet ouvrage a été réalisée par Corinne Le Veuf; Frédéric Mazuy a assuré la recherche iconographique.

Table des matières